Dico des injures oubliées

Foutrebleu ! Abatteur de quilles !
Marpaud ! Salisson !

Dans la série Mémo
(Extrait)

Dictionnaire des personnages de la Bible, Librio n° 795
Dictionnaire de rimes, Librio n° 671
Le français est un jeu, Librio n° 672
Figures de style, Librio n° 710
Dieux et héros de la mythologie grecque, Librio n° 593
Le Dico de l'info, Librio n° 743
Le Dictionnaire du diable, Librio n° 787
Dictionnaire des personnages de la Bible, Librio n° 795
Le Dico du citoyen, Librio n° 808
Écologuide de A à Z, Librio n° 811
Dictionnaire de citations, Librio n° 820
Les Expressions qui ont fait l'histoire, Librio n° 875
Le théâtre est un jeu, Librio n° 880
La culture est un jeu, Librio n° 881
Dico de l'économie, Librio n° 913
Dictionnaire du christianisme, Librio n° 955
Le Dico des symboles, Librio n° 998
Le Grand Vrai-Faux de la culture générale, Librio n° 1002
Guide de survie en entreprise, Librio n° 1011
La cuisine est un jeu, Librio n° 1021
Le Kama-sutra est un jeu, Librio n° 1022
Le yôga est un jeu, Librio n° 1023
Le savoir-vivre est un jeu, Librio n° 1024
L'œnologie est un jeu, Librio n° 1025
Le bricolage est un jeu, Librio n° 1026
Le chat est un jeu, Librio n° 1027
Comment ne pas payer ses dettes à son banquier, Librio n° 1037
L'opéra est un jeu, Librio n° 1068
Le latin est un jeu, Librio n° 1069

Sabine Duhamel

Dico des injures oubliées

Foutrebleu ! Abatteur de quilles !
Marpaud ! Salisson !

Inédit

Introduction

Parce qu'il est quand même plus classe et plus civilisé de pester en jurant « Foutrebleu » qu'en lâchant le mot de Cambronne, redécouvrez les formules imagées qui ont fait les beaux jours de nos ancêtres… et insultez en ayant l'air cultivé !

Vous trouverez dans les pages suivantes toute une série de mots et d'expressions qui fleurent bon la désuétude. Certains ont une histoire, une provenance précises. Nous avons essayé de retrouver la racine de ces mots, la source de ces expressions, en réussissant parfois à remonter jusqu'à leur terroir d'origine. D'autres termes ont une étymologie plus confuse, plus obscure… Issus du vieux français, ils se sont transformés au fil des ans, certaines formules restant d'ailleurs aujourd'hui encore assez imagées pour parler d'elles-mêmes et se passer d'explication.

Tous les dictionnaires et les documents témoignant du passé n'en proposent pas la même interprétation, ni le même sens. Vous trouverez dans les pages suivantes les définitions qui reviennent le plus fréquemment.

Tous ces mots, toutes ces expressions souvent insolites et amusants vous invitent, en tout cas, à un fabuleux voyage à travers le passé et montrent à quel point l'histoire du langage s'est aussi écrite dans la rue.

A

ABAIEOR : grande gueule

Ce mot, qui peut se traduire par « chien qui aboie », vient du verbe *abrayer* qui signifiait « aboyer ». Il désignait les personnes qui parlaient fort et dans un langage peu soutenu. *Aboyeur* était aussi le nom donné aux crieurs publics qui se tenaient devant les marchés ou les stands de forains.

ABATTEUR DE QUILLES : incapable, fanfaron

Ce sobriquet était donné aux hommes vantards bien qu'incapables de grandes actions, tout juste bons à briller dans des futilités (abattre des quilles, par exemple).

ABBAYE DES S'OFFRE-À-TOUS : bordel

L'expression serait tirée du *Romancero*, ensemble de petits poèmes espagnols issus des chansons de gestes, très en vogue du XIVe au XVIIIe siècle. Autrefois, le terme « abbaye » était souvent détourné de sa signification première : on disait, par exemple, l'« abbaye de monte-à-regret » pour désigner l'échafaud.

ABETEOR : escroc, trompeur

Vient du verbe *abester*, qui signifiait « réduire à l'état de bête », abrutir, abêtir. L'*abettor* ou *abesteor* était un voyou, un fraudeur, qui usait de ruse (*abet*) pour commettre ses méfaits.

ABLOQUEUX : fumiste

Vient du verbe *abloquer* : bâcler, mal faire son travail, en picard. On disait aussi *albodeux*. *Alboidier* (ou *alboder*) signifiait «paresser», ces mots étant issus du verbe *galvauder* qui voulait dire faire semblant de travailler sans faire avancer l'ouvrage. Un *albodeux* était un marchand qui proposait de mauvais produits, qui promettait beaucoup mais ne tenait rien (*bawd* dans l'Ouest signifiait «sale», «vil», et le terme *albran*, dérivé de l'espagnol *albardan*, désignait un fainéant dans le Sud).

Abriconer : duper, trahir
Ce mot est un dérivé de l'italien *bricone* qui signifiait «fripon», «brigand». En vieux français, un *bricon* était un trompeur, une personne qui dupait et trahissait les autres en faisant mine de les flatter.

Accagner : injurier
Vient de *cagne* qui désignait un mauvais chien : le verbe signifiait poursuivre quelqu'un en l'injuriant, aboyer après lui comme un chien.

Acclamper : faire l'amour
Ce verbe, qui signifiait «planter», a notamment été dérivé de son sens premier par Rabelais.

Accrocheuse : prostituée
Femme publique qui «accrochait» les passants, les retenant comme par un crochet.

À Chaillot ! : Va-t'en, dégage !
Les habitants du petit village de Chaillot étaient considérés par les Parisiens comme des campagnards, des lourdauds, des gens sans éducation. L'expression était utilisée par le peuple parisien pour se débarrasser d'un importun, pour lui signifier qu'on souhaitait le voir partir.

Achancrié : pourriture
Littéralement «qui est issu du chancre». Il était d'ailleurs courant de traiter de «chancre» ou d'«abcès» quelqu'un de particulièrement laid, le mot «abcès» ayant même été employé pour parler de Mirabeau.

Acopi : cocu

Vient du verbe *acopir* : « cocufier ». Le verbe *acoper* signifiait à l'origine « couper », « fendre ». Sous sa forme réfléchie, *s'acopir* prenait le sens de « se couper », « se partager ». Le terme *acoupée* ou *acoupie* désignait une femme volage, qui se partageait, *acopi* qualifiant quant à lui son mari cocu.

Acouardi : lâche, trouillard

Littéralement « rendu couard ».

Adjectiver : insulter

Adresser des injures, qui sont souvent formées d'adjectifs.

Affollonnier : irriter, mettre en colère

Vient du verbe *affoler* qui signifiait autrefois « rendre fou ».

Afistoleur *:* mauvaise langue

Afistoler signifiait « tromper, prendre par de faux-semblants, déformer la réalité ». Un *afistoleur* était à la fois un « conteur de sornettes » et un médisant. Le mot viendrait de l'italien *fistola* qui désignait une petite flûte dont se servaient les oiseleurs pour attirer les oisillons dans leurs filets.

Afitos : insolent

Vient du verbe *afiter* qui signifiait « provoquer, agresser insulter ».

Agache : commère

Ancien nom donné à la pie (*agazza* dans le Sud, *agace* dans le Nord) et par extension à une femme trop bavarde qui colportait les ragots.

Agener : insulter

Injurier quelqu'un au point de le mettre dans l'embarras, dans la gêne.

Agripart : voleur, escroc

Le mot serait une déformation d'agrippeur qui désignait un gros chien, un mâtin, puis par extension une personne « avide de prendre ». Le nom vient du verbe *agripper* qui signifiait « prendre », « voler » au figuré (il viendrait de l'anglais *to grip* : empoigner, saisir). On disait aussi un *agripin* et un *agrippeur*.

Ahanneux : pénible
Vient du verbe « ahaner » qui signifiait « faire un travail fatigant qui demande des efforts au point de soupirer en laissant échapper le son "ahan" ». *Ahanir* voulait dire « respirer avec peine, souffler ».

Ahaus : fumier
Ancien terme employé pour désigner les ordures, les immondices, le fumier... et par extension toute personne dont le comportement méritait cette appellation.

Ahur : voleur
Vient du verbe « ahurir » qui signifiait autrefois « étourdir de paroles », « importuner », cette technique étant employée par les voleurs pour détourner l'attention de leur victime avant de la dépouiller.

Aiglefin : voleur, escroc
On disait aussi *aigrefin*. Pour certains, le mot serait une déformation de « l'aigre faim » qui poussait certains affamés à voler ; pour d'autres, il serait une allusion à une vieille monnaie, l'aiglefin, qui pouvait susciter bien des convoitises.

Aillevan : bâtard
Enfant abandonné. Pour certains, le terme viendrait du mot « ailleurs » (« enfant venu d'ailleurs ») ; pour d'autres, il serait un dérivé d'*ailevin*, nom de petits poissons que l'on déposait dans les étangs pour les repeupler.

Aimer à crédit : se faire entretenir
Se disait des amants de femmes entretenues par d'autres qu'eux.

Aimer comme la colique : détester

Aimer le linge fin : être un coureur
Par allusion à la lingerie des femmes.

Aimer une chèvre coiffée : être peu difficile en amour
« Il aimerait une chèvre coiffée » se disait d'un homme qui courait après toutes les femmes, qu'elles soient belles ou laides.

S'AISIER : uriner

Aisier signifiait « donner ce qui met à l'aise, satisfaire ». Le mot *aisements* était l'un des termes employés pour désigner les toilettes, les « lieux d'aisances ».

AJOQUE : fainéant, glandeur

Vient d'*ajoquer*, qui signifiait « arrêter de travailler » et de *s'ajoquer* qui signifiait « retarder » et « se reposer ».

ALGONQUIN : sans gêne

On se servait de ce mot pour désigner un étranger qui arrivait en terrain conquis dans un lieu qu'il ne connaissait pas, en se comportant grossièrement, comme si tout lui était dû.

ALIBORON : âne, idiot

Aliboron est le nom donné à l'âne par Jean de La Fontaine.

ALLER À LA COUR DES AIDES : tromper son mari

L'expression serait tirée d'un ouvrage satirique, *L'Histoire comique de Francion*, écrit au début du XVIIe siècle. Elle était employée pour parler d'une femme qui affichait un ou plusieurs amants (censés « venir en aide » à un mari dont les prouesses étaient loin de la satisfaire).

ALLER À SES AFFAIRES : déféquer

Vient du nom que l'on donnait autrefois à la chaise percée, alors baptisée « chaise d'affaires ». Le « brevet d'affaires » désignait même le privilège qui consistait à demeurer dans le même lieu que le roi lorsqu'il se trouvait sur sa chaise percée...

ALLER AU PERSIL : faire le trottoir

On disait aussi *persiller* : pour déguiser leur commerce, certaines prostituées (dites aussi *persilleuses*) se munissaient d'un petit panier, censé faire croire qu'elles partaient ou revenaient d'acheter quelque chose. Chez les fruitières, le persil faisait partie des marchandises les moins chères, raison pour laquelle les filles en garnissaient leur panier.

ALLER DU GRENIER À LA CAVE : être très lunatique

On utilisait l'expression pour parler d'une personne sujette aux sautes d'humeur, capable de passer de la douceur à la violence en une fraction de seconde.

Aller où le roi va à pied : aller aux toilettes
Rejoindre l'un des rares endroits où le roi ne se rend pas accompagné et où il ne peut envoyer personne à sa place...

Aller sur la hauteur : partir faire la fête
L'expression était utilisée par les Parisiens qui partaient s'encanailler dans les guinguettes (voire les lieux de débauche) situées en dehors de la ville.

Allez parler à votre écot ! : mêlez-vous de vos affaires !
L'écot était la part à payer par chaque convive à la fin d'un repas. « Allez parler à votre écot » était une façon de dire « retournez à votre table, retrouvez vos convives, votre compagnie et laissez-moi tranquille ».

Allez vous coucher auprès ! : allez vous faire voir
Cette expression était une façon de signifier à quelqu'un d'aller au diable, sans prononcer le nom du démon, censé porter malheur.

Allumelle : sexe masculin
Le mot désignait au départ un sabre, une épée ou une arme tranchante en général. Il servait aussi d'image pour évoquer le sexe de l'homme.

Almanach des vingt-cinq mille adresses : prostituée
Image qui désignait une femme ayant connu tellement d'hommes qu'elle pourrait en remplir un carnet d'adresses.

Alosse : opportuniste pour un homme ; prostituée pour une femme
Employé au féminin, ce mot qualifiait les prostituées de dernière classe. Au masculin, il désignait à l'origine un marchand qui n'était pas attaché à une seule maison (comme c'était souvent le cas) mais courait toutes les boutiques pour obtenir ses marchandises au meilleur prix sans se soucier de leur qualité. Le mot viendrait du nom d'un poisson de mer (*alussa* ou *alose*) qui remonte les fleuves et les rivières et n'est donc pas fixé dans un seul lieu.

S'AMÂTINER : se prostituer, coucher avec tout le monde
Vient de « mâtin » (« gros chien ») : s'accoupler avec le premier venu, comme le font les animaux.

AMBRELIN : minable
Ce mot, dérivé de l'allemand *Hamerlin*, désignait un personnage à la figure laide et grossière qui servait de marteau d'horloge. On l'utilisait pour parler d'un « moins que rien », d'un homme peu digne de considération.

AMIGNOTER : fayotter
De « mignon », « mignarder » : cajoler, flatter. À l'origine, ce terme évoquait une façon de parler aux enfants en bêtifiant. Il a ensuite servi à désigner toute manière de s'exprimer obséquieuse et trop flatteuse pour être sincère.

AMORCER : fayotter
Parler à quelqu'un en le flattant de manière à le faire tomber dans le piège qu'on lui tend (comme une amorce que l'on place à la pêche).

AMPHIGOURI : propos incompréhensible
Ce mot était employé pour évoquer des paroles confuses, un discours sans queue ni tête.

ANCHOIS : petit pénis
Allusion aux formes fines et à la petite taille du poisson du même nom.

ANTIQUAILLE : vieillerie
Terme méprisant qui servait à désigner tout ce qui était passé de mode.

APESART : cauchemar, personne indésirable
En ancien français, on désignait le cauchemar par les termes *pesard* ou *apesart*.

APPARIEUSE : entremetteuse
D'« apparier » : mettre par paire. Mot méprisant qui désignait les femmes dont l'occupation favorite était de fabriquer des mariages.

Argoulet : homme de rien, minable

Les argoulets étaient autrefois des soldats à cheval, armés d'une arquebuse et très peu considérés par rapport aux membres des autres compagnies de cavalerie, plus prestigieuses.

Argouzin : stupide et grossier

C'était le nom donné aux officiers subalternes autrefois chargés de surveiller les galériens. Cette injure était aussi synonyme de lourdaud, imbécile.

Argut : chipoteur

Ce mot, dérivé du verbe « arguer » (« argumenter » mais aussi « accuser », « réprimander »), désignait un chicaneur, un ergoteur.

Arpalian : vaurien, fainéant

Certains pensent que le terme serait un dérivé d'*harpaille*, nom donné autrefois à une troupe de bandits. D'autres l'attribuent à une déformation d'« orpailleurs », ces chercheurs d'or dans les rivières qui n'avaient pas toujours bonne réputation.

Arsouille : individu qui traîne dans les rues, mal élevé

On disait aussi *arsoule* dans le Nord. Le mot aurait été introduit par des ouvriers qui avaient voyagé. Il viendrait de *aers* ou *aars* qui signifiaient « derrière », « fesses », dans le Nord. Pour marquer encore plus de mépris, les Parisiens utilisaient le diminutif *soussouille*.

Artichaut : imbécile

Ce terme était employé à Paris pour désigner les idiots.

Aspic : personne dangereuse

En référence au serpent venimeux.

Assassineur de morts : enfonceur de portes ouvertes

Désignait les fanfarons, ceux qui faisaient beaucoup de bruit pour rien.

Asselar : déféquer

Action d'aller à la selle.

ASSOTER : s'abêtir

Rendre sot, s'abrutir. On disait aussi *rassoter*.

ATOMIE : personne trop maigre, sac d'os

Atomie signifiait « squelette » (le mot est dérivé de « tombe »). Il désignait par extension une personne qui n'avait que la peau sur les os.

ATTENDS-MOI SOUS L'ORME ! : Tu peux toujours rêver !

Plaisanterie tirée d'une comédie qui portait ce titre. On l'employait pour signifier à quelqu'un qu'il pouvait toujours courir, toujours attendre.

ATTRAPE-MINON : hypocrite

Vient d'« attrape-minette », qui désignait un mensonge grossier destiné à berner les simples d'esprit. Un *attrape-minon* était un homme fourbe prêt à tous les mensonges pour parvenir à ses fins.

AUBERT : monnaie

Déformation d'« argent ».

AVACHIE : grosse femme

À l'origine, le verbe « s'avachir » s'appliquait aux chaussures, devenues trop larges au fil du temps. Par extension, il désignait aussi les femmes qui avaient pris trop d'embonpoint.

AVALEUR DE CHARRETTES FERRÉES : frimeur, personnage qui parle beaucoup mais ne fait rien

Cette expression était utilisée pour désigner les « faux braves », qui menaçaient toujours mais ne bougeaient jamais, les lâches qui voulaient jouer les durs.

AVERTINEU(SE) : personne au sale caractère, fou furieux

Le mot vient d'*avertin* : *vertere* pour tourner et *a* pour signifier l'éloignement. Il peut se traduire par « mal qui détourne l'esprit ». Jusqu'au milieu du XIXe siècle, saint Avertin était, en outre, réputé guérir de la folie et des maux de tête.

Avoir avalé une chaise percée : avoir mauvaise haleine

Parmi les autres expressions désignant une haleine fétide, citons « avoir mangé ses pieds » ou « avoir laissé le pot de chambre dans la commode ».

Avoir la courte haleine : être un éjaculateur précoce, un mauvais coup

En référence au manque d'endurance de ce genre d'amant – « avoir la courte haleine » signifie « manquer de souffle ».

Avoir la langue grasse : être vulgaire

Autrefois le mot « gras » était souvent employé dans le sens de « sale » : « avoir la langue grasse » signifiait ainsi « tenir des propos obscènes ».

Avoir la tête chaude : être emporté, soupe-au-lait

Par opposition à « tête froide ». « Chaud » était déjà utilisé dans l'expression « chaud comme braise » pour désigner un caractère fougueux et passionné. L'expression est aujourd'hui devenue « avoir le sang chaud ».

Avoir les dents mêlées : être saoul

Avoir bu au point de ne plus pouvoir dire un mot, comme si l'on était gêné par la position de ses dents.

Avoir un coup de hache : être cinglé, fou

Ne plus avoir de raison, comme si l'on avait reçu un coup de hache sur la tête.

Avoir un estomac d'autruche : être un parasite, un pique-assiette

En référence à l'estomac d'une autruche qui digère aussitôt ce qui est avalé : personne capable de passer d'une table à l'autre sans même avoir pris le temps de digérer le repas précédent.

Avoutre (ou **avoitre**) : bâtard

Avoutirer signifiait autrefois « commettre un adultère », l'*avoutre* étant le fruit de cet adultère. Rabelais emploie le terme *auoistre*.

Aze : bon à rien

D'« âne ». Sobriquet qui désignait les mauvais ouvriers.

B

Babo : imbécile

Niais, qui écoute « bouche bée », sans comprendre. Pour certains, le mot pourrait être issu de *babbo*, qui signifiait « crapaud » dans le Sud. Il a donné de nombreux dérivés parmi lesquels *babeneau* dans le Nord, *babin*, *bablute* ou *babusse*.

Babouiner : faire le beau

Le mot « babouin » était employé pour désigner le visage ou la bouche (les babines). On employait « babouiner » pour « passer son temps à des frivolités », « faire le joli cœur ».

Baboule : commère

Ancien terme picard qui venait de « babiller », qui désignait le fait d'aimer parler et se mêler des histoires de ses voisins.

Bachique : ridicule

Par allusion à Bacchus, le dieu romain du vin, et aux effets secondaires qu'entraîne un excès de boisson. Le mot était employé pour parler d'une chose aussi bien que d'une personne grotesques.

Bachoteur : bon à rien

En patois parisien, le mot *bachot* était utilisé par les passeurs d'eau pour désigner un vieux bateau. Un bachoteur était un mauvais batelier et, par extension, quelqu'un qui ne faisait pas bien son travail.

Badauderie : bêtise

Un badaud était une personne niaise et peu futée. On disait aussi *badeloris* ou *badeur*. *Badauder* ou *bader* signifiait « s'extasier sur des futilités », une *badauderie* désignant une niaiserie.

Badouillard : fêtard

Sous Louis-Philippe, le mot était employé par les étudiants parisiens pour désigner un coureur de bals masqués. Il a ensuite servi à qualifier tous ceux qui couraient de bal en bal et passaient leur vie à faire la fête. *Badouiller* était ainsi le synonyme de « faire la noce » et l'on nommait *badouillerie* une vie libertine.

Bagasse : vieille prostituée

Au sens propre, le mot désignait de vieux vêtements qui tombaient en lambeaux. On l'employait aussi de manière insultante pour parler d'une vieille prostituée qui avait « trop servi », qui s'était abîmée dans la débauche. Dans le Nord, on disait *bégasse*.

Bagnenaudier : fainéant

Le baguenaudier était un petit arbre sur lequel se trouvaient de petites poches remplies d'air que les enfants s'amusaient à faire exploser. Il désignait aussi tout individu paresseux qui ne produisait rien d'autre que de l'air.

Bagouler : injurier, parler grossièrement

Du normand *bagouiller* qui signifiait « parler mal », « tenir des discours dénués de sens ».

Baise-cul : fayot, hypocrite

Cette expression très explicite, utilisée pour parler des personnes prêtes à toutes les bassesses pour parvenir à leurs fins, est un peu l'ancêtre de notre actuel « lèche-cul ».

Baisotter : fayoter

Câliner, embrasser continuellement quelqu'un pour l'amadouer et parvenir à ses fins.

Baladeuse : prostituée

Fille qui se « balade » en arpentant les trottoirs.

Baratter : faire l'amour

Cette expression fait référence au mouvement effectué par la baratte lorsqu'elle bat le lait pour faire du beurre. « Aller au beurre » en est une variante.

Barbeau : souteneur

En référence à une variété de maquereau.

Barbet : personne sale

Le barbet était une race de chien. Par déformation, on employait aussi le mot *barbotteuse* pour parler d'une prostituée.

Barbille ou **barbillon** : jeune maquereau

Un barbille était un petit barbeau (sorte de maquereau). Le terme désignait les souteneurs débutants.

Barbotteuse : prostituée

Pour certains, le terme serait issu de « barboter », se vautrer dans la boue, dans la fange. Pour d'autres, il viendrait du barbeau, un poisson peu estimé et dont on ne faisait rien. Un barbeau étant un souteneur, une *barbeauteuse* (ou *barbotteuse*) était celle qui travaillait pour lui.

Bardache : homosexuel

Le mot viendrait d'une communauté amérindienne où des hommes, habillés en femmes, se livraient à la prostitution.

Bardot : idiot, niais

Abréviation de « cheval de bât » : celui à qui l'on faisait subir toutes les humiliations, dont on se moquait constamment.

Baronnet : petit baron

Insulte pour les nobles.

Bas de buffet : moins que rien

Cette partie du meuble était celle qui se voyait le moins. L'expression servait donc à désigner un homme (ou une chose) sans importance. On traitait même de « vieux bas de buffet » les femmes d'un certain âge qui se ridiculisaient en continuant à afficher des prétentions galantes auprès de la gent masculine.

Bastringueur : homme débauché

La bastringue était à l'origine une contredanse très à la mode à Paris. Le mot a ensuite servi à désigner un mauvais bal et un endroit mal fréquenté. Un bastringueur était un habitué de ce genre de lieu.

Baude : idiote

Féminin de « baudet », le mot était surtout employé dans le Nord et l'Est de la France.

Béjaune : niais

Oisillon qui a encore le « bec jaune », donc inexpérimenté. Par extension, le terme désignait une personne stupide ou sans expérience. On disait aussi *béjaunerie* ou *béjaunie* pour « niaiserie ».

Belinier : idiot, stupide

Vient de *belin* qui désignait un petit bélier. Belin est d'ailleurs la personnalisation du mouton dans *Le Roman de Renart*. On disait à l'époque « sot comme un mouton ». Bélître (homme de rien, gueux, minable...) est un dérivé de *belin*, le terme ayant été repris par Molière dans plusieurs de ses pièces dont *Le Médecin malgré lui* et *Le Bourgeois gentilhomme*. Il a donné *belitraille* pour « troupe de misérables », « bande de minables ».

Belle à la chandelle : femme laide

Se disait d'une femme qui n'avait d'éclat que parce qu'elle s'approchait d'une source de lumière.

Beluter : faire l'amour

Au sens propre, le mot signifie « tamiser ». Dans le langage populaire, il a été détourné de son sens premier pour donner naissance à bien des expressions. Ainsi disait-on *beluter* pour « faire l'amour » (on retrouve le verbe dans Rabelais), *beluter les tripes* pour « avoir mal au ventre », « tordre les entrailles », et enfin *se beluter le cerveau* pour « se prendre la tête ».

Berluser : tromper, berner

Vient de « berlue » : faire croire des choses qui n'existent pas, duper.

Bernique : interjection

Utilisé pour marquer la surprise, la colère ou la désapprobation, le terme vient du mot normand *emberniquer* qui signifiait « salir ».

Bestencier : chercher les problèmes

Le mot *bestence* (ou *bestens*) signifiait « querelle », « contestation ». On disait *bestencier* pour « chercher les ennuis ».

Bestiasse : idiote

De « bête » et « bêta ». On disait aussi *bétanie*.

Bibard (**bibasse**, pour une femme) : vieil(le) ivrogne

Le mot vient du latin *bibere* qui signifie « boire ». Un proverbe affirmait aussi que « le vin était le lait des vieillards » car il était l'un de leurs derniers plaisirs. On disait également *bibassier*.

Biblot : sexe masculin

Le biblot était une cheville de bois qui servait aussi d'osselet. Le mot désignait également le sexe de l'homme dans le Nord-Est de la France.

Bienséant (le) : les fesses

Terme qu'utilisait autrefois la bourgeoisie à la place de « séant » pour parler du postérieur.

Biéquebos : imbécile, idiot

Biéquebos dans le Nord, *baquebos* en Lorraine, *beccabos* dans le Jura : tous ces mots désignaient le pic-vert, oiseau que l'on croyait stupide car on pensait qu'il allait piquer l'autre côté de l'arbre sur lequel il se trouvait pour voir s'il avait réussi à le percer (alors qu'il se contente d'aller chercher des insectes sur une autre partie de l'écorce).

Bifferie : mensonge, arnaque

La biffe était un diamant faux. Par extension, le mot *bifferie* s'appliquait à toute escroquerie ou tromperie.

Bigresse : méchante femme

Féminin de « bigre », homme rusé et malveillant. L'usage de ce terme, lancé dans les faubourgs parisiens, s'est vite étendu à la plupart des régions. Il évitait d'avoir à prononcer les mots « bougre » (ou *boustre*) et « bougresse » (ou *bougrène*), jugés plus vulgaires.

Bilboquet : personne dupée

Personne qui était le « jouet » des autres. Équivalent de notre « pigeon ».

Billevesée : bêtise, sottise

Les billevesées étaient à l'origine des bulles de savon que s'amusaient à faire les enfants. Par extension, le terme désignait tout propos vide, sans consistance.

Billouart : sexe masculin

Un billart était à l'origine un bâton recourbé vers le bas qui servait à pousser des billes en bois dans un jeu dérivé du croquet.

Biscoter : faire l'amour

Terme notamment employé par Rabelais pour *bis cotter*, *être cotte sur cotte* (la cotte était sorte de blouse portée aussi bien par les hommes que par les femmes).

Bistoquette : sexe masculin

Le mot vient de *bistoquet* qui désignait autrefois une queue de billard. Par extension, on utilisait aussi le terme *bistoquer* pour « faire l'amour » (se servir de son *bistoquet*).

Blandiour (ou blant ou blandicieus) : flatteur, lèche-bottes

Une blandie était une flatterie, une caresse, le verbe *blandir* signifiant « rendre étincelant » mais aussi « flatter ».

Blèche : lâche

Du verbe *bléchir* qui signifiait « se dédire », « rompre ses engagements ».

Bobancieux : vaniteux, hautain

Le mot *bobance* signifiait « arrogance », « orgueil », « présomption ». Suivant les régions, on disait aussi *bobanceor*, *bobancier*, *bobanci*, *bobant*, *bobeur* ou *bobert*. On utilisait également le verbe *bobandiner* pour « se pavaner ».

Bobelin : stupide

À l'origine, le bobelin était une chaussure portée par le peuple et, par extension, un coup de soulier au derrière. Le bobelin est donc devenu celui dont la bêtise provoquait ces coups de pied.

Bocard : bordel

Terme utilisé par les soldats pour désigner les maisons closes. Ils disaient aussi *boc*.

Bodresse (ou boderesse) : femme stupide

Féminin de « baudet », notamment dans les patois du nord-est de la France. Désignait une femme idiote et ignorante, une « bourrique ».

Bon comme la capitation : méchant, mauvais

La capitation était le nom d'un impôt.

Bonneter : fayoter

Retirer sans cesse son bonnet pour saluer et faire des courbettes à n'en plus finir, afin de s'attirer les bonnes grâces de quelqu'un.

Boscot(te) : laid(e)

Diminutif de *bamboche* qui désignait des personnes difformes et bossues.

Boucaner : gronder, disputer

Le boucan désignait l'endroit où ceux que l'on qualifiait à l'époque de « sauvages » faisaient fumer leurs viandes. Par extension, il indiquait aussi les lieux mal tenus, où l'on parlait fort. On employait aussi *boucaner* pour « hausser le ton », « reprocher quelque chose haut et fort ».

Boucaner : sentir mauvais

Verbe utilisé par les ouvriers pour « sentir le bouc ».

Boucanière : prostituée

Femme qui gagnait sa vie dans les lieux où l'on fait du boucan, le terme désignant autrefois les bagarres violentes et bruyantes qui éclataient dans les cabarets.

Bouffart : prétentieux

On désignait par *bouffage* le fait d'enfler, au propre comme au figuré, lorsqu'on se « gonflait d'orgueil ». *Bouffander* signifiait « montrer de la vanité, de la présomption ».

Bougiron : sodomiste

La « bougie » était l'une des nombreuses façons de désigner le membre viril. Rabelais utilise même le terme *bougironner* pour « sodomiser ».

Bouif : nul, incapable

Le terme désignait un mauvais ouvrier chez les cordonniers. Il a ensuite été étendu à tous ceux qui travaillaient mal, quelle que soit leur profession.

Boule rouge : prostituée

Femme qui gagnait sa vie en vendant ses charmes dans le quartier de la Boule rouge à Paris. Un autre quartier célèbre pour ce même commerce avait donné le nom de « Pré-Catelanière ».

Bouquin : vieux libertin

Terme méprisant issu de « bouc », désignant un vieil homme qui continuait à mener une vie de débauché, malgré son âge avancé.

Bourdeur : menteur

De « bourde », qui signifiait « mensonge », et de *bourder*, « mentir ».

Bourrelle : mégère

La bourrelle était la femme du bourreau. Par extension, le terme désignait aussi une femme dure et méchante qui se plaisait à maltraiter les autres.

Boxonneur : amateur de prostituées

Le boxon était l'un des mots employés pour désigner les bordels, où les bagarres étaient fréquentes (et où l'on se boxait donc souvent).

Bragmarder : faire l'amour

Terme, notamment employé par Rabelais, dérivé de *brac-*

quemart qui désignait, à la base, une grosse et courte épée : « jouer du bracquemart ».

BRAILLARD : gueulard
Vient de « braie », terme utilisé par les nourrices pour désigner les couches des bébés. Il a donné « brailler », pour crier en pleurant, et « braillard », pour celui qui se met à crier pour rien.

BRAVE À TROIS POILS : frimeur, fanfaron
Vantard qui parle plus qu'il n'agit.

BRELANDER : mener une existence oisive
De « brelan », le jeu de cartes. Était employé pour parler de ceux qui passaient leur temps dans les académies de jeux et qui menaient une vie frivole et vaine.

BREN ou **BRAN** : ordure, merde
Le *bren* (ou *bran*, suivant les régions) désignait la partie la plus grossière du son ou du froment. Par extension, ce terme servait à qualifier quelque chose ou quelqu'un de peu de valeur. Dans *Pantagruel*, Rabelais s'en sert comme d'une interjection marquant le mépris. Plus tard, le mot deviendra synonyme d'excrément et servira de base à plusieurs déclinaisons, telles que *brener* pour « déféquer » ou *bréneux* pour « souillé d'excréments », « merdeux ». Rabelais emploie aussi le mot *brenasserie* pour « vilenie », « saloperie » et on utilisait l'expression « bran de vous ! » pour exprimer son mépris à quelqu'un.

BRETAILLEUR : bagarreur
Celui qui avait toujours la « brette » (l'épée) à la main, qui cherchait les ennuis. On disait aussi « bretteur ».

BRIDOISON : imbécile, idiot
Le verbe « brider », qui signifiait « s'opposer », était employé dans bon nombre d'expressions péjoratives telles que « brider l'oie » (ou la bécasse) pour « tromper quelqu'un » ou « oison bridé » pour désigner une personne niaise et stupide. Le bridoison était ainsi celui que l'on pouvait abuser facilement.

BRIFFEUR : pique-assiette

Briffer était un dérivé de « bâfrer », « manger gloutonnement ». Le briffeur était celui qui pouvait passer d'une table à l'autre sans jamais parvenir à se rassasier.

BRISE-RAISON : fou

Celui qui n'a que faire de la sagesse et de la raison.

BRISE-SCELLÉ : qui ne respecte rien

Ce surnom peu flatteur était donné sous la Révolution à ceux qui s'emparaient de tout ce qui était consigné sous scellé.

BROCARDER : ridiculiser

De « brocard », qui désignait une parole vexante.

BROQUELET : sexe de l'homme

Au sens propre, *broquelet* désignait un fuseau de dentellière. On disait aussi *broqueter* pour « faire l'amour » et *broqueteur* pour « débauché ».

BROUILLE-MÉNAGE : fout merde

Personne qui intrigue et sème la discorde dans un couple ou une assemblée.

BUFREGNIER : gifler

À l'origine, la *buffe* était la partie du casque qui couvrait les joues des soldats, le mot *bufette* désignant les joues. On disait aussi une *buffe* pour un soufflet et un *buffeau* pour un coup de poing sur les joues.

BUGLE : imbécile

Le bugle était un jeune bœuf et par extension une personne idiote, stupide.

BUSARD OU BUSON : imbécile

En référence à la buse, oiseau considéré comme stupide.

BUTOR : lourd, rustre, idiot

Le butor était une espèce de héron. C'est d'abord sa façon de marcher, très lente, qui a inspiré la comparaison, avec un paresseux (puisque le butor prenait son temps pour avancer et pouvait rester immobile une journée entière), puis avec un « lourdaud », que sa bêtise empêchait d'aller vite.

C

Cabasseur : colporteur de ragots
Vient de *cabasser*, qui signifiait « parler », et de *can-can*.

Cadédis : juron
Utilisé en Gascogne comme « tudieu », « morbleu », etc.

Cadet : fesses
Par extension, on utilisait l'expression « torche-cadet » pour parler d'un mauvais livre ou d'un papier inutile.

Cagnard : fainéant, paresseux
Vient de *cagne* qui désignait un mauvais chien : un *cagnard* était « aussi paresseux qu'un chien couché ». On disait aussi *cagnarder* pour « paresser », « glander ».

Caigne : prostituée
Littéralement « chienne », femelle d'un *cagne*.

Caillette : commère, mauvaise langue
Littéralement « petite caille ». Le terme était employé pour désigner les femmes qui carcaillaient (le cri de la caille), parlaient à tort et à travers et colportaient les ragots.

Calembredaines : bêtises, sottises
Paroles futiles et sans fondement.

Calibristi : le sexe de la femme
Certains spécialistes de Rabelais donnent à ce mot la traduction de « petite cabane du ventre ». Le mot était

assez répandu, et ce dans toute la France. On disait aussi «temple de Vénus».

Canonnière : les fesses
Allusion au bruit de certaines flatulences lorsqu'elles franchissaient ce que l'on appelait autrefois l'«égout de la panse».

Cape de Biou : juron
En gascon, l'expression signifiait «tête de bouc» et était employée comme juron.

Capon : lâche ou rapporteur
Le mot est une déformation de «chapon», cet animal qui a perdu sa virilité... et donc son courage (par opposition au coq gaulois et à sa vaillance). Le terme était aussi employé chez les écoliers pour désigner ceux qui rapportaient tout au maître. Il a donné *caponner* pour «rapporter» ou «fuir de peur».

Caquet bon bec : commère
De «caqueter», «faire des commérages», «parler beaucoup en médisant sur les autres». On disait aussi *caqueteur* et *caqueteuse*.

Carillonner : gronder, disputer
«Faire carillon» signifiait «faire beaucoup de bruit», «crier». Ce mot est un peu l'ancêtre de l'expression «sonner les cloches».

Carogne : femme de mauvaise vie
Insulte très employée par Molière.

Cartouche : voleur
Du nom du célèbre voleur. «Être un Cartouche», c'est être un voleur

Cascaret : minable, gueux
Ce mot, qui s'appliquait au départ aux chiens et aux cochons, était aussi utilisé pour injurier un homme de basse extraction.

Catheau : prostituée
De « catin » et Catherine, pour désigner celle qui n'avait pas voulu coiffer sainte Catherine et s'était « mariée avec le trottoir ».

Cent : les toilettes
« Le numéro 100 » : c'est ainsi que l'on nommait autrefois les « privés », comme on disait à l'époque, dans les auberges.

Chamaillis : petite dispute
Chamaillerie sans conséquence, léger différend.

Chambre basse : les W-C
On disait aussi d'une personne qui avait mauvaise haleine : « Il a une bouche comme une chambre basse. »

Chambrillon : personne employée à de basses besognes
Terme méprisant désignant les servantes qui nettoyaient les chambres. Le mot avait pour équivalent masculin « chambrelan ».

Chanter la palinodie : retourner sa veste
La palinodie était un texte (généralement un poème) où l'on contredisait ce que l'on avait affirmé auparavant. On disait de quelqu'un qu'il « chantait la palinodie » lorsqu'il se contredisait dans ses paroles ou dans ses actes.

Chanter pouilles : disputer, gronder
Le verbe « chanter » était aussi utilisé pour « crier » ou « raconter des histoires, des bêtises ».

Charlataner : embobiner
Berner quelqu'un en l'endormant par de belles paroles, comme le faisaient les charlatans.

Charrue : maladroit
On disait d'une personne gauche et malhabile que c'était une « vraie charrue ».

Chatemite : hypocrite
Vient de « chat » et de « mite » (qui voulait dire « chatte » en vieux français). Le chat, qui était l'animal des sorcières, était en effet considéré comme fourbe et vicieux.

CHÂTRIN : jaloux à l'excès

Le mot désignait au départ un homme (généralement un vieux monsieur ayant épousé une très jeune fille…) d'une jalousie tellement maladive qu'il n'hésitait pas à enfermer sa femme, comme s'il la « châtrait », d'une certaine manière. Il a ensuite servi à qualifier tous ceux qui se montraient trop jaloux.

CHAUD COMME UNE CAILLE : chaud lapin

Cette expression s'appliquait aux hommes coureurs, qui affichaient un tempérament « aussi lascif que celui de la caille ».

CHAUFFE-LA-COUCHE : fainéant

Personne qui paresse, qui reste au lit. L'expression était aussi employée pour parler de quelqu'un tatillon au point de s'occuper lui-même des soins incombant à un domestique, ou d'un homme soumis dont la femme portait la culotte.

CHAUFFEUR : coureur, chaud lapin

Le verbe « chauffer » était souvent employé pour « faire une cour assidue à une femme dans le but de finir dans son lit » (on disait aussi « coucher une femme en joue »). Le chauffeur était celui qui « chauffait » beaucoup de femmes.

CHAUSSES : « Les charlatans (ou autre méchanceté) sont dans vos chausses » : c'est celui qui le dit qui y est

Expression très en vogue à Paris qu'on employait lorsqu'on avait été injurié et qui signifiait « c'est votre nom que vous donnez aux autres » : quelqu'un qui se faisait traiter de « fripon » répondait, par exemple, à celui qui venait de l'injurier « les fripons sont dans vos chausses » pour lui signifier que c'était lui le fripon.

CHENAPAN : voyou

Mot issu de l'allemand *Schnapphahn* (brigand de grand chemin) qui signifie « vaurien », « bandit ».

CHENILLON : fille laide et/ou mal habillée

Chevalier d'industrie : parasite
Celui qui vit d'intrigues, d'expédients, « écornifleur de dîners ».

Chevrotin : qui n'a pas d'humour
Dans l'argot des typographes, « prendre la chèvre » signifiait « prendre la mouche », « se vexer facilement », et « avoir la chèvre », être en colère. Un chevrotin était un homme qui ne comprenait pas la plaisanterie, qui prenait tout au premier degré et s'offensait d'un rien.

Chiabrena : juron signifiant « merde de chien »
Vient de *chia*, « chien », et de *bren*, « merde ». Voir aussi *chia de longaigne* et *bren*.

Chia de longaigne : moins que rien, « sous-merde »
Le mot *chi* était employé pour « chien » dans bon nombre de patois, *longaigne* signifiant « latrines ». L'expression peut donc se traduire élégamment par « chien de latrines ».

Chicanier : querelleur
« Chicaner » signifiait « tourmenter ». On disait « cela me chicane » pour « cela me tracasse ». Un « chicanier » était quelqu'un qui cherchait la bagarre et les ennuis.

Chicorée : engueulade
L'expression trouve son origine dans l'amertume de la chicorée, et signifie « faire des reproches amers ». On disait aussi « faire sa chicorée » pour « faire sa crâneuse », se donner des airs de grande dame alors qu'on était loin de l'être.

Chicoter : chipoter
Le chicot était le morceau qui restait d'un arbre abattu, et par extension, d'une dent arrachée ou tombée. *Chicoter* signifiait reprendre quelqu'un ou l'asticoter pour des broutilles, des « petits morceaux » sans importance.

Chiénin : lâche, méchant, pervers
Signifiait littéralement « celui qui a le caractère du chien ». L'animal était très loin, à l'époque, d'être considéré comme le meilleur ami de l'homme ! Le mot *chienon*, qui voulait dire « chiot », était d'ailleurs aussi employé dans le sens de « canaille », « vaurien ».

Chien noyé : injure

Insulte qu'utilisaient les femmes des Halles de Paris lorsqu'un homme les mettait en colère.

Chiflerie : risée

Un chifle était un sifflement et un chiflot un sifflet, mais aussi une raillerie. On disait *chifleor* pour « moqueur » et *chifler* pour « se moquer ».

Chocaillon : saoularde

Chocailler signifiait « s'enivrer au cul du tonneau ». Une chocaillon était une femme dépravée qui buvait trop et se débauchait.

Chopiner : se saouler

Boire chopine sur chopine, s'enivrer.

Cinceus : sale, dégoûtant

Le cincier était un fripier, un marchand de vieux habits. Le mot *cinceus* désignait donc quelqu'un vêtu de guenilles, de loques, et par extension une personne sale.

Clabaudeur : mauvaise langue, langue de vipère

On disait aussi *clabaud*. *Clabauder* signifiait « parler trop, médire et faire des commérages », le terme *clabaudage* (ou *clabauderie*) étant utilisé pour désigner ces paroles « indiscrètes et dangereuses ».

Clampin : paresseux, fainéant

Homme mou qui ne faisait rien et aurait eu besoin d'être fortifié par un « clamp » (pince chirurgicale servant à pincer les vaisseaux pour empêcher l'hémorragie). On utilisait aussi ce mot pour désigner les soldats éclopés.

Claque-dents : bavard ou misérable

Cette expression insultante désignait aussi bien quelqu'un qui claquait des dents parce qu'il menait une vie misérable et grelottait de froid qu'une personne dont les dents s'entrechoquaient parce qu'il parlait trop, à tort et à travers.

Cloistrière : prostituée

Surnom donné aux filles publiques dont la maison était appelée, par dérision, le « couvent ».

Coche : grosse femme
Grossièreté qui désignait une femme adipeuse et rougeaude « qui tenait plus de la truie ».

Cocodès : imbécile, pigeon
Homme, riche généralement, qui se laissait ruiner par des « cocottes » qui se moquaient de lui.

Coiffer : cocufier
« Coiffer » du bonnet à cornes.

Cointerel : frimeur
Le mot signifiait à la fois « coquet », « vaniteux » et « galant » : un *cointement* était une façon d'agir avec beaucoup de ruse et de grâce à la fois. « Être en cointoi » signifiait « se pavaner ».

Coistron : bâtard
Ce mot, qui désignait au départ un marmiton, a fini par servir d'injure pour signifier « bâtard » ou « vil ». On disait aussi *coitrart.*

Combien : sexe de la femme
Ainsi surnommé parce qu'il était mis à prix par les prostituées.

Commun comme du vin à deux sous : mal élevé, sans valeur
L'expression s'employait aussi bien pour désigner un objet sans valeur que pour parler d'une personne de basse extraction, aux mauvaises manières. Pour évoquer ces hommes et ces objets, on disait aussi : « c'est du grand commun ».

Compteur d'horloge : parasite
Personne qui restait longtemps à la table de quelqu'un d'autre, qui s'amusait à « compter les heures ».

Confrère de la lune : cocu
Allusion au croissant de lune qui a la forme de deux cornes.

Contes de vieilles : mensonges
Récits qui dataient tellement et avaient été à ce point ressassés qu'ils ne méritaient plus qu'on y porte crédit. On disait aussi « conte borgne ».

COQUEBERT : niais, imbécile, pigeon

Le mot viendrait de « coq », animal utilisé dans la littérature profane pour symboliser un personnage prétentieux et stupide (comme le coq Chantecler sans cesse ridiculisé dans *Le Roman de Renart*). Il était employé pour désigner une personne niaise ou stupide, qui se laissait facilement avoir. On disait aussi *coquebin*, *coquardeau*, *coquibus* ou *conquebie*.

COQUECIGRUE : bêtise, mensonge

La coquecigrue était un animal imaginaire, mélange de coq, de cygne et de grue : le mot servait, par extension, à désigner toute chose ou parole inventée et sans valeur. On disait aussi « à la venue des coquecigrues » pour signifier « jamais » et on appelait *cocquefredouille* un benêt, un niais.

COQUILLARD : escroc

Faux pèlerin, personne malhonnête, voleur. L'une des explications attribue le mot à une bande d'escrocs et de voleurs tristement célèbres pour avoir officié à Dijon au XVe siècle sous le nom de « la coquille ». Une autre version en attribue l'origine au surnom donné aux mendiants que l'on trouvait sur la route menant à Saint-Jacques de Compostelle : ils portaient des vêtements ornés de coquilles et se faisaient passer pour des pèlerins, afin de berner les honnêtes gens.

CORPS BŒUF : juron

Cette expression, que l'on retrouve notamment dans les œuvres de Rabelais, utilise le mot « bœuf » pour éviter de blasphémer en prononçant le nom de Dieu. Elle signifie « par le corps de Dieu ». On disait aussi « Ventre bœuf », pour marquer la colère, la surprise ou l'indignation.

COUENNE : idiot, imbécile

On utilisait le mot « couenne » (la peau des porcs) pour désigner un maladroit ou un attardé. « C'est une couenne » (ou « Quelle couenne ! ») signifiaient : « C'est un sot ».

COUPE-JARRET : bagarreur, brigand violent

Ce surnom avait été donné pendant la Révolution aux Septembriseurs, ces hommes armés, barbares et sanguinaires auteurs de nombreux massacres à Paris en septembre 1792. Il a ensuite continué à désigner les personnes violentes qui cherchaient les ennuis.

COUPER LA GUEULE À QUINZE PAS : avoir mauvaise haleine

Le verbe « couper » était autrefois souvent employé dans le sens de « surprendre quelqu'un par une action désagréable ». L'expression désignait donc quelqu'un dont l'haleine était difficile à affronter, même de loin.

COUPER LA MUSETTE : laisser quelqu'un sans voix, le moucher

Déstabiliser quelqu'un au point de lui ôter tout moyen de s'exprimer.

COUREUR DE LIPPÉE : parasite

Lippe signifiait « lèvres » : *lippée* peut ici se traduire par « bouchée » et l'expression « être un coureur de lippée » par « bouffer à tous les râteliers ».

COURIR L'AIGUILLETTE : fréquenter les prostituées

L'expression vient du fait qu'à Toulouse les prostituées furent un temps tenues de porter une petite aiguille sur l'épaule comme signe distinctif.

CRAPAUDINE : fille facile

Cette expression est tirée du vocabulaire culinaire et désigne une façon de préparer le pigeon « à la crapaudine », présenté aplati, sur le dos, avec les pattes écartées.

CRAPE : prostituée

Abréviation de « crapuleux », le mot désigne une femme qui mène une vie crapuleuse en vendant ses charmes. On disait aussi *crapuler* pour « mener une vie de débauché » et « crapule » pour « libertin de bas étage ».

CRAQUEUR : menteur, affabulateur

Craquer signifiait mentir (« dire des cracs »), le mot *craquerie* désignant le mensonge et l'imposture. L'expression est tirée de la pièce *Monsieur de Crac dans son petit castel*, de Colin d'Harleville.

Crème du discours (la) : les postillons
Plaisanterie désignant les petites gouttes de salive qui pouvaient être projetées lorsqu'on parlait à quelqu'un. On disait aussi « écarter la dragée » pour « postillonner ».

Crestelet : prétentieux
Celui qui dresse sa « crête », personnage orgueilleux.

Cremilleux ou **cremitif** : trouillard
« Celui qui craint » : vient de *cremir* qui signifiait « craindre ».

Crier comme un aveugle qui a perdu son bâton : s'emporter pour un rien, être soupe-au-lait
L'expression d'origine était « embarrassé comme un aveugle qui a perdu son bâton ». Elle s'est transformée pour désigner les personnes qui hurlaient et se mettaient en colère pour des broutilles.

Se croire le premier moutardier du pape : faire son intéressant, frimer
La moutarde était autrefois une denrée de luxe vendue très cher. On raconte que le pape Clément VII prêtait, pour cette raison, une attention toute particulière à ses fabricants.

Croque-lardon : pique-assiette
L'expression visait au départ les jeunes commis de cuisine qui profitaient de leur statut pour « croquer des lardons » discrètement… et donc en toute impunité.

Croquemuse : coup de poing
Littéralement « coup (violent) donné sur le museau ».

Cuistre : dégoûtant et inculte
Le « cuistre » était autrefois l'ouvrier chargé de laver la vaisselle, et plus généralement de s'acquitter des tâches les plus basses dans une cuisine. Le terme désignait aussi toute personne sale et sans instruction.

Cul de plomb : incapable, nul

Se disait, chez les bureaucrates, d'un mauvais employé, « qui ne bougeait pas beaucoup de sa chaise ».

Culvert : bouseux

Serf, personne de basse extraction (qui a le « cul vert »). À l'origine, un culvert était un serf pratiquement réduit à l'esclavage.

D

Dandin : pigeon

Ce mot est issu de la pièce de Molière *George Dandin*, qui met en scène un mari tourné en ridicule aussi bien par sa femme que par son entourage. Homme généreux et simple dont la bonté confine à la bêtise et que l'on peut très facilement duper.

Dariole : claque, baffe

La dariole était une pâtisserie légère. Dans le langage (très) populaire, le mot désignait aussi un coup donné avec la main.

Débagouler : parler grossièrement et méchamment

De *bagou*, « flot de paroles ». Ce mot signifiait aussi « vomir ».

Débâté : coléreux, emporté

Personne qui s'énerve facilement et qu'on ne peut maîtriser, comme un âne dont on aurait retiré le « bât ».

Débonder : déféquer

Ce verbe signifiait au départ « retirer la bonde d'un tonneau ». Il était employé au figuré pour faire ce que l'on appelait aussi ses « gros besoins ».

Décharger sa canonnière : péter

La « canonnière » désignait les fesses.

Décrachier : humilier

Littéralement « couvrir de crachats ».

DÉGAINEUR : bagarreur, qui cherche les ennuis
Homme prompt à « dégainer » son épée.

DE LA BOURRACHE ! : Tu m'emm... !
On peut traduire cette expression, grossière à l'époque, par « tu me fais suer » : la bourrache était, en effet, une plante connue pour ses propriétés sudorifiques.

DEMOISELLE DU MARAIS : prostituée
Ce quartier parisien renfermait autrefois un grand nombre de prostituées. On disait aussi « demoiselle du Pont-Neuf ».

DESCULTIVÉ : inculte
Mal cultivé, qui ne possède aucun savoir. On disait aussi *dessavant*.

DESFAÉ : misérable
Le mot désignait au départ un infidèle, une personne « sans foi ». Il a servi ensuite à qualifier les mécréants, considérés à l'époque comme des vauriens, capables de tous les crimes.

DESGOSILLER : vomir
Peut se traduire par « enlever du gosier ». Sur le même principe, on disait aussi *desmangier*.

DIANTRE ! : exclamation
Ce mot, qui était utilisé pour ne pas prononcer le nom du diable (et éviter ainsi de s'en attirer les foudres), était employé pour marquer la surprise, l'impatience ou l'indignation.

DINDONNIÈRE : prétentieuse
Une dindonnière était une jeune fille qui gardait les dindons. On traitait ainsi avec mépris les jeunes campagnardes qui souhaitaient s'élever au-dessus de leur condition et, plus généralement, les jeunes filles qui affectaient des airs supérieurs.

DIRE DES BRIMBORIONS : parler pour ne rien dire
Un brimborion était une babiole, un objet dénué de valeur. « Dire des brimborions » signifiait « raconter des futilités », des choses inutiles. Dans le Nord de la France, on se servait

aussi du mot *brimborion* pour désigner un petit mendiant ou un petit polisson – le mot *brimbeux* désignant un gueux, un mendiant. Rabelais utilise aussi *brimborion* pour parler du clitoris.

DONNER DES FÈVES POUR DES POIS : se venger

Cette expression est l'équivalent de « rendre la monnaie de sa pièce » : se venger de quelqu'un qui s'est mal conduit.

DONNER DU GALBANUM : arnaquer

Le galbanum était une gomme résineuse produite par une plante venue d'Asie et dont les charlatans exagéraient grandement les mérites auprès du peuple : « donner du galbanum » signifiait « duper ».

DONNER LA FÉRULE : taper

La férule était une tige utilisée pour châtier les enfants.

SE DONNER UN MAUVAIS CHAPEAU : se faire une mauvaise réputation

Le mot « chapeau » était une métaphore employée dans beaucoup d'expressions pour désigner la tête : « mettre un beau chapeau sur la tête de quelqu'un » signifiait ainsi « médire, tenir des propos insultants à l'encontre de quelqu'un d'autre ». L'expression « se donner un mauvais chapeau » était employée pour parler d'une fille qui avait terni sa réputation par une attitude impudique ou en perdant sa virginité.

DONNER UNE CHANDELLE À DIEU ET UNE AUTRE AU DIABLE : retourner sa veste.

Ménager les deux partis, tirer profit d'une dispute entre deux personnes.

DOUZIL : sexe masculin

Au sens propre, le *douzil* était une petite broche de bois dont on se servait pour reboucher les trous faits dans un tonneau. On disait aussi (et dans les deux sens) la *dille*.

DRÔLE : vaurien

« Drôle » signifiait autrefois « bizarre », « ridicule ». Un drôle était une personne qui inspirait la méfiance. Le mot était aussi employé comme injure (« C'est un drôle ») ou comme invective « Drôle que tu es ! » ou « Tu n'es qu'un drôle » pour « Tu n'es qu'un voyou, un moins que rien ! ».

Drôlesse : dévergondée, coureuse
Féminin de « drôle » : terme insultant et méprisant dont on se servait pour qualifier les femmes de mauvaise vie.

E

S'ÉCHAUFFER EN SON HARNOIS : se mettre en colère
Le harnois était l'armure des chevaliers.

ÉCORCHER LE RENARD : vomir
L'expression a été reprise par Rabelais. On disait aussi *renarder*. On trouve plusieurs explications à cette expression. Parmi les deux plus courantes, la première fait état du bruit émis par le renard lorsqu'il se racle la gorge (et qui ressemble aux râles d'un homme qui vomit). Deuxième interprétation : le renard est un animal qui dégage une odeur tellement forte que les chasseurs s'exposaient à vomir de dégoût au moment de l'« écorcher », de le dépecer.

ÉCORCHEUR : commerçant voleur et malhonnête
Nom donné à tous ceux qui vendaient trop cher leurs services et leur marchandise, qui « saignaient », écorchaient leurs clients.

ÉCORNIFLEUR : parasite, escroc
Vient d'« écorner » qui désignait le fait de retirer les cornes des taureaux pour éviter qu'ils ne se blessent entre eux. Par extension, l'expression évoquait une personne qui se procurait ce dont elle avait besoin au détriment des autres. Le terme *écorniflerie* était, quant à lui, employé pour parler d'une escroquerie, d'une arnaque, ou d'une chose obtenue de manière illicite.

ÉCUMEUR DE MARMITE : pique-assiette

Embaumeur : charlatan
Personnage malhonnête qui trompe les autres en les endormant avec de belles paroles. On disait aussi *empaumeur* et *empaumer* pour « abuser quelqu'un ».

S'emberlucoquer : s'obstiner
Littéralement « se coiffer de berlue » : s'entêter et se convaincre de quelque chose jusqu'à l'obsession, comme si on avait la berlue.

Emble denier : voleur
Vient du verbe *embler* qui signifiait, « voler », « dérober », et du mot « denier », petite monnaie utilisée jadis, qui valait un douzième de sou.

Emboiseur : arnaqueur
Emboiser signifiait « duper », « abuser », « tromper ». On disait « il s'est laissé emboiser » pour « il s'est fait avoir » et « emboiseur » pour « arnaqueur », « charlatan ».

S'embrener : se salir, se compromettre
De *bren*, « merde ». Littéralement « se couvrir d'excréments ». On disait aussi « s'être embrené dans une affaire » pour « s'être fait piéger ».

Empoisonner : sentir mauvais
On disait « il empoisonne » pour « il pue ».

Empunaisier ou **empunaisir** : sentir mauvais
Allusion à l'odeur de la punaise lorsqu'on l'écrase.

S'encapuchonner : s'enticher
Au sens propre, « s'encapuchonner » signifiait « mettre son capuchon ». « S'encapuchonner de quelqu'un » voulait dire « s'en amouracher », « se le mettre dans la tête ».

Endormir : embêter, prendre la tête
« Tu m'endors ! » (sous-entendu : « tu ne m'intéresses pas assez pour me tenir éveillé ») était une manière impatiente de dire à quelqu'un « tu m'ennuies », « tu m'assommes ».

ENFLAQUER : emm...
Vient de *flaquader* qui signifiait « déféquer » (voir la définition de *flaquader*).

S'ENGEANCER : avoir de mauvaises fréquentations
Fréquenter de petites gens, des personnes peu recommandables.

ENGROGNÉ : râleur
Qui est toujours de mauvaise humeur, qui passe sa vie à grogner.

ENMALI : méchant, mauvais
Celui qui s'est laissé « prendre par le mal », perverti.

ENRHUMER : ennuyer, prendre la tête
En référence au rhume qui « engourdit toute la tête ». « Tu m'enrhumes » signifiait « tu m'ennuies », « tu m'indisposes », « tu m'importunes ».

S'ENTREGOUSPILLER : se disputer
Se houspiller mutuellement.

ENTRER DANS LA GRANDE CONFRÉRIE : sortir avec une fille qui sort avec tout le monde
L'expression signifiait épouser ou tomber amoureux d'une femme infidèle et connue pour le nombre de ses amants.

S'ENVERMILLONNER : se saouler
Devenir rouge à force d'avoir bu.

ENVILANIR : injurier
Insulter, traiter comme un « vilain ».

ENVOYER AU GRAT : envoyer balader
Le *grat* désignait l'endroit où les poules grattaient le sol pour trouver à manger. « Je l'ai envoyé au grat » signifiait « je l'ai chassé », « je l'ai envoyé promener ».

ENVOYER AU PEAUTRE : envoyer balader
Le mot *peautre* désignait un bordel, d'où l'expression « je l'ai envoyé au peautre », utilisée pour signifier que l'on s'était débarrassé de quelqu'un de particulièrement collant ou ennuyeux.

ÉPAIS : lourd, idiot

Par opposition à « fin ». « Il est épais » se disait d'une personne peu intelligente, voire complètement idiote.

ÉPATEUR(EUSE) : mythomane, menteur

Le verbe « épater » vient d'« éblouir, stupéfier quelqu'un au point de le renverser les quatre pattes en l'air ». Un épateur ou une épateuse était une personne qui racontait des mensonges ou exagérait les choses à dessein afin de susciter l'admiration chez les autres.

ÉPOUVANTAIL D'AMOUR : femme ultralaide, « cageot »

Femme repoussante… comme un épouvantail.

ESCLITER : p… dessus

Le verbe peut se traduire par « barbouiller d'*escloi* », l'*escloi* étant l'urine.

ESCOPIR ou **ESCOPER** : cracher dessus

« Couvrir de crachats », « insulter ». Une *escopace* était un crachat.

ESMEUTIR : déféquer

D'abord utilisé en fauconnerie pour les oiseaux de proie (le verbe signifiait « fienter »), le terme s'est ensuite aussi appliqué au genre humain.

ESTAFFIER : bagarreur

Devenu une injure, le mot désignait à la base des valets « escorteurs » qui jouaient le rôle de gardes du corps et portaient donc une épée. C'est parce qu'ils faisaient preuve d'une certaine insolence et se montraient toujours prêts à frapper que le mot a fini par passer dans le langage commun pour désigner les personnes très querelleuses, promptes à chercher les histoires.

ÊTRE CARAPAÇONNÉ : se tenir raide, avoir l'air coincé

Être engoncé, embarrassé et mal à l'aise dans ses vêtements comme si l'on portait une carapace.

ÊTRE CHARGÉ À CUL : avoir envie de déféquer

Être excellent : sentir mauvais des aisselles
L'expression vient d'une déformation dans la prononciation d'« excellent » que l'on énonçait *esselent* et qui a donné lieu au jeu de mots : « aisselant ».

Être gracieux comme un fagot d'épines : avoir mauvais caractère
L'expression, assez imagée pour parler d'elle-même, désignait une personne rustre et repoussante, à laquelle on ne pouvait s'adresser sous peine de se faire envoyer balader. On disait aussi « c'est un fagot d'épines ».

Être guignonné : avoir la poisse
Vient de « gigne » (ou « guignon ») : malchance.

Être insolent comme le valet du bourreau : se montrer impertinent
Désignait les personnes grossières mais croyant que tout leur était dû.

Être logé aux petites maisons : être fou
« Les petites maisons » était une façon de désigner, à mots couverts, l'endroit où l'on internait les fous. On se servait de cette expression méprisante pour parler de quelqu'un dont le comportement ou les propos étaient incohérents.

Être né en Béthanie : être un imbécile
L'expression vient du mot « bêta » et signifie « venir du pays des idiots ».

Être propre comme une écuelle à chat : être sale, dégoûtant
L'expression était utilisée pour désigner les personnes très négligées et peu soucieuses de leur apparence.

Être un bon cheval de trompette : rester de marbre
Se disait d'une personne imperturbable, qui ne se laissait pas distraire ni emporter par des cris ou des énervements, un peu comme un cheval bien dressé qui ne s'affolait pas lorsque retentissait une trompette ou tout autre bruit fort et soudain. L'expression désignait aussi un homme aguerri comme un cheval de cavalerie qui avait connu beaucoup de guerres.

ÊTRE UN VRAI CHIEN DE PORT : être grossier, vulgaire

Le mot « chien » était souvent employé de façon péjorative : « cela n'est pas si chien » signifiait ainsi « ce n'est pas si mauvais ». Associer le nom de cet animal à l'univers portuaire (dont les travailleurs avaient la réputation d'être des rustres aux mauvaises manières) renforçait encore l'insulte.

ÉTRON : m...

L'expression vient de Rabelais (« Mœurs et conditions de Panurge », *Pantagruel*). Elle servait à désigner un homme mou et sans valeur.

F

FAIRE AUTANT CAS DE QUELQU'UN QUE DE LA BOUE À SES SOULIERS: s'en moquer

L'expression était utilisée pour exprimer tout le mépris que l'on éprouvait envers une personne.

FAIRE BAISER LE BABOUIN: humilier

Pour punir leurs camarades, les soldats leur faisaient embrasser une figure grotesque qu'ils avaient dessinée sur les murs. « Babouin » (ou *baboua*) était d'ailleurs le nom donné au petit bouton qui pouvait ensuite apparaître sur les lèvres de ceux qui avaient reçu cette humiliation.

FAIRE CLAQUER SON FOUET: se vanter

Cette expression s'utilisait pour parler d'une personne qui faisait beaucoup de bruit, qui tentait de se faire remarquer par des paroles trop fortes ou des propos exagérés.

FAIRE COMPTER LES SOLIVES À UNE FEMME: lui faire l'amour

Coucher une femme sur le dos... de manière qu'elle voie aussi le plafond.

FAIRE CORPS NEUF: déféquer

Littéralement, nettoyer son corps pour faire de la place et pouvoir le remplir à nouveau.

FAIRE DANSER LES OLIVETTES: frapper, maltraiter

Vient du nom d'une danse que l'on effectuait en Provence après la récolte des olives.

FAIRE DANS SES CHAUSSES : avoir très peur

Être à ce point effrayé qu'on ne peut plus rien maîtriser. L'ancêtre de « faire dans sa culotte », en quelque sorte.

FAIRE DE L'EAU : uriner

FAIRE DES CONTES BORGNES : mentir, raconter des histoires

Le mot « borgne » était utilisé de façon péjorative dans bon nombre d'expressions telles que « cabaret borgne » (cabaret de bas étage) ou « jaser comme une pie borgne » (parler sans cesse et pour ne rien dire). « Faire des contes borgnes » pouvait se traduire par « raconter des histoires à dormir debout ».

FAIRE FRIGOUSSE : faire la fête à outrance

Frigousse est une déformation de *fricot* (ragoût, fricassée). *Faire frigousse* signifiait « ripailler » mais aussi « se débaucher ».

FAIRE LE BON VALET : fayotter

Pécher par excès de zèle afin de s'attirer les faveurs de celui que l'on sert.

FAIRE LE CHIEN COUCHANT : fayotter

Se comporter servilement pour s'attirer les faveurs de quelqu'un, le flatter bassement, se soumettre à ses volontés pour mieux l'utiliser ensuite.

FAIRE LE MIGNARD : faire le beau, frimer

De « mignarder », signifiant « flatter », « enjôler ».

FAIRE LE PALADIN : frimer, se vanter

Un paladin était un chevalier ayant atteint les plus hauts grades. « Faire le paladin » était se donner de l'importance, se montrer orgueilleux.

FAIRE LE POT À DEUX ANSES : se mettre en colère ou frimer

Mettre les mains sur les hanches soit pour se disputer, comme le faisaient les femmes du peuple lorsqu'elles haussaient le ton et commençaient à se quereller, soit pour se pavaner, comme le faisaient les pédants lorsqu'ils s'apprêtaient à se lancer dans un discours.

Faire porter l'aigrette : cocufier

Faire porter un ornement de tête (les cornes) en référence à la touffe de plumes sur la tête de certains oiseaux.

Faire restitution : vomir

De restituer, rendre, redonner.

Faire son (ou sa) renchéri(e) : frimer

Vient de « renchérir » : se faire trop valoir alors qu'on n'en a pas les capacités. On dirait aujourd'hui « péter plus haut que son c... ».

Faire ses aisemenz : déféquer

Vient d'*aisement* : « usage », « commodité ». Les lieux d'aisances désignaient autrefois les toilettes.

Faire un grand clas clas : faire beaucoup de bruit pour rien

On se servait de l'onomatopée *clas clas* pour illustrer le bruit d'un canon, d'un fusil, d'un feu d'artifice.

Falot : mauvais plaisant

Le mot vient de *falace*, « tromperie », et de « fallacieux », « mensonger ». Un falot était celui qui faisait des blagues grotesques et de mauvais goût.

Faquin : misérable

Certains dictionnaires attribuent l'origine du mot « faquin » à l'italien *facchino* qui signifiait « porte faix » (homme de basse condition chargé de porter les fardeaux), d'autres à l'arabe *fakiron*, qui désignait les gueux, les mendiants. Le terme était utilisé pour parler d'un personnage méprisable et sans honneur qui inspirait la méfiance. Il a aussi servi à décrire un homme hautain et arrogant : une faquinerie était une sottise, une fanfaronnade.

Faraud : frimeur

Déformation de « fiérot ». « Faire son faraud » était se donner des airs supérieurs à sa condition.

Farfadet : souteneur

En référence à une variété de maquereau. On traitait aussi de farfadet les « petits maîtres », les sots prétentieux qui jouaient les hautains alors qu'ils vivaient sur le dos des autres.

FÉCALITÉ : mauvaise action
Cette image, très prisée des gens de lettres, a été employée pour la première fois par Charles Bataille au XIXe siècle.

FELON DE PUTE ESTRACE : fils de p...
L'expression peut se traduire par « garçon, traître, de basse extraction ».

FENDANT : chefaillon, personnage lâche et prétentieux
Se disait d'un homme qui tyrannisait ceux qui lui étaient inférieurs, par des paroles tranchantes (« fendantes ») et jouait les « petits maîtres » devant les plus faibles que lui. On disait aussi « fendeur de naseaux ».

FENDRE L'ARCHE : importuner, emm...
L'expression « tu me fends l'arche » était très à la mode dans le quartier des Gobelins vers 1860.

FEMBRÉER : déféquer
Fembreier désignait le fumier, *fembréer* signifiant « couvrir d'engrais, de fumier », et par extension « déféquer ».

FERRAILLEUR : bagarreur, qui cherche les problèmes
L'expression vient de « fer » : celui qui avait constamment l'épée à la main, qui cherchait n'importe quel prétexte pour « croiser le fer ». On disait aussi « ferrailler » pour « chercher toutes les occasions de se battre ».

FESSE-MATHIEU : radin, intéressé
Il y a plusieurs explications à cette expression. Toutes s'accordent cependant à en attribuer l'origine à Mathieu, l'un des douze apôtres qui exerçait en tant qu'usurier avant sa conversion. Les versions diffèrent ensuite : l'une affirme que les « fesse-mathieux » seraient des créanciers peu scrupuleux dont les méthodes offenseraient (« fesseraient ») la mémoire du saint, une autre explique l'expression par la déformation de « fais comme saint Mathieu » (puis « fais saint Mathieu ») pour « fais

ton métier de créancier». Par déformation, les «fesse-mathieux» étaient les avares.

FICHANT : ennuyeux
Une fichaise était une chose de peu de valeur, sans importance.

FILS DE LYCE : fils de p...
Le mot *lyce* est ici employé comme «femelle d'un chien de chasse». On utilisait aussi ce terme pour désigner une femme particulièrement débauchée.

FILS DE PORCHAS : bâtard
Le *porchas* (de *porchacier*: «pourchasser») désignait notamment le fait de chercher activement quelque chose ou quelqu'un: un fils de porchas était donc un enfant «en quête de son père» car il ne le connaissait pas.

FINASSEUR : petit joueur
Une finesse ou finasserie était une ruse maladroite et grossière. Un finasseur (du verbe «finasser») était un escroc de bas étage, agissant avec petitesse et de faibles moyens.

FLAGORNEUR : lèche-bottes
Personne qui flatte bassement quelqu'un.

FLANDRIN : paresseux
Vient de «flancs» («se battre les flancs» signifiait ne rien faire, se complaire dans une certaine oisiveté) et de «flâner» (errer sans motif, rôder).

FLAQUADER : déféquer
On disait aussi «aller à flaquada». *Flaquer* (déformation de «flanquer») signifiait «lancer un liquide avec force» (de manière qu'il termine sa course en formant une flaque).

FLAQUADIN : froussard, lâche
Homme sur qui la peur produit de fâcheux effets secondaires... (voir *flaquader* ci-dessus).

FOIMENTI : menteur
Parjure, traître qui trahit sa «foi».

Forfant : menteur, vantard, mythomane
Le mot vient de « forfanterie ». Employé comme nom, il était à l'origine le participe présent du verbe *forfaiter* qui signifiait « faire le fanfaron », « se vanter », « exagérer ».

Fornicaste : prostituée
« Fornicatrice ». On disait aussi *fornicaresse* ou *fornicateresse*.

Fot-en-cul : sodomite
Fot est l'abréviation de « foutre ».

Fouillon : fouineur
Celui qui fouille dans les affaires des autres, qui met le désordre et se mêle de ce qui ne le regarde pas.

Fouterie de pauvre : mauvais coup en amour

Foutiner : paresser, « glandouiller »
Mot issu du patois normand qui signifiait « faire peu de choses, passer son temps à des futilités », comme le fait un fou. On disait aussi *foutimasser*. Dans le même registre, une *foutinette* désignait un objet sans valeur.

Foutriquet : minus !
De « foutre », employé dans les quartiers populaires pour « faire ». Le mot désignait à la base une personne chétive et de petite taille (« mal foutu »). Il a servi ensuite à parler de quelqu'un d'insignifiant. Dans les faubourgs parisiens, on disait aussi *foutriot*.

Fredon : minable, moins que rien
Le fredon était un terme musical désignant un ornement de chant léger et fugitif. Par extension, le mot s'appliquait aux personnes « ne valant pas plus qu'une quadruple croche ».

Frelampier : personnage étrange et obscur
À l'origine, les frelampiers étaient les hommes chargés d'allumer les lampes d'une ville à la tombée de la nuit. On s'est ensuite servi du nom de ces travailleurs, qui œuvraient dans l'ombre et les ténèbres, pour qualifier avec mépris tout personnage obscur ou « issu du néant ».

Freluquet : jeune frimeur

Allusion au « parler frelu » : s'exprimer avec affectation. Certains dictionnaires attribuent l'origine de cette expression au mot « fanfreluche » : « ornement frivole ».

G

GABATINE : mensonge, fourberie, bêtise
Vient de « gabegie » : intrigue, manigance.

GAGUI : grosse
Femme qui avait beaucoup d'embonpoint.

GALEFRETIER : minable
Le galefretier (ou *galfatier*) était à l'origine un homme chargé de goudronner les vaisseaux. Dans le langage familier, le terme servait d'injure pour désigner un « homme du néant » ou de basse extraction.

GALIPOT : matière fécale
À l'origine, le galipot était un mastic composé de résine et de matières grasses. Le mot a servi ensuite à des fins plus imagées... On disait même *galipoter* pour « déféquer ».

GANDIN : minet, homme superficiel et creux qui ne vit qu'à travers son apparence, frimeur
Le terme vient du boulevard de Gand, nom donné sous la Restauration aux grands boulevards. Le boulevard de Gand était l'un des points de ralliement des dandys qui se retrouvaient aux terrasses des cafés pour admirer le défilé des belles qui s'y promenaient l'après-midi. On disait aussi *gandine*, au féminin.

GARGOUILLE : grosse femme
Ce mot ne désignait pas seulement le tuyau d'une gouttière mais aussi une grosse bouteille : par extension, on le donnait aux filles des campagnes un peu trop en chair.

Gaubregeux : moqueur, railleur, mauvais plaisant
Personne qui « se goberge », qui ricane.

Gaupe : coureuse
Nom que l'on donnait aux femmes de mauvaise vie, malpropres et désagréables. Le mot serait tiré du patois normand *guape* pour « guêpe » : qui vole (et va) dans tous les sens.

Géménée de godinette : fils de p...
Littéralement « engeance de débauchée » (une *godinée* était une jeune fille peu farouche).

Gens de sac et de corde : bande de voyous, racaille
Sous le règne de Charles VI, on avait pris l'habitude d'emprisonner les criminels que l'on ne souhaitait pas exécuter publiquement dans un sac fermé d'une corde, pour les jeter ensuite dans la Seine. L'expression est restée pour désigner tous ceux dont les actions auraient pu provoquer un tel châtiment.

Gigolette : jeune fille très délurée
Le mot désignait une jeune fille aux mœurs débridées, qui passait son temps libre à courir les « gigues », les bals publics.

Gniaffer : bâcler, mal travailler
Accomplir une chose sans y mettre aucun soin, en ne montrant aucune motivation. Le verbe vient de *gniaf*, l'ouvrier dans l'argot des cordonniers parisiens.

Gobeloter : s'enivrer
Vient de « gobelet ».

Godailler : se saouler
La *godale* (de l'anglais *good ale*) était une bière dont la qualité était nettement supérieure à celle de la cervoise ordinaire. Elle a donné le verbe *godailler* pour abuser de cette bière et par extension se saouler.

Gode-lureau : damoiseau, fat, pédant
Ce mot, qui s'écrivait autrefois *gaudelureau*, viendrait du latin *gaudere* : « se réjouir ». Il désignait à la base un jeune homme qui se montrait agréable avec les femmes, qui les « réjouissait ».

GORE PISSOUE : dégoûtant, gros dégueulasse
Littéralement « truie pisseuse ». En vieux français, *gore* signifiait « truie ». L'expression *gore pissoue* était employée pour désigner un individu malpropre.

SE GORGIASER : frimer
Se rengorger, se pavaner, faire le beau. Une *gorgiaseté* désignait une parure, ou une chose utilisée pour magnifier.

GOUGE : femme de mauvaise vie
Féminin de « goujat ».

GOURGANDINE : prostituée
La gourgandine était autrefois une espèce de corset qui s'ouvrait sur le devant et laissait voir la chemise. Le mot a servi ensuite à désigner toutes les femmes qui affichaient un comportement trop libre, une tenue trop suggestive.

GRACIEUX COMME UN SAC À CHARBON : de mauvaise humeur
Le mot « charbon » était employé pour évoquer la noirceur, la fausseté : « avoir l'âme comme du charbon » signifiait « être malhonnête, avoir de mauvaises intentions ».

GRATTE-CUL : vieille prostituée, trop fanée pour vivre de ses charmes
Fait référence à la fleur, le gratte-cul étant le bouton qui reste après que la rose a perdu ses pétales. Une expression disait « il n'y a point de si belle rose qui ne devienne gratte-cul ». Une « gratte-cul » était donc une femme qui avait été « belle comme une rose » mais n'avait rien conservé de sa fraîcheur.

GREDIN : vaurien, homme sans foi ni loi
En vieux français, le mot *gredin* signifiait « gueux ». Il était surtout employé dans les dialectes du Nord et de la Lorraine.

GRELUCHON : profiteur
Nom autrefois donné à un homme qui se faisait entretenir par une femme ayant elle-même plusieurs amants.

Grigou : misanthrope, sauvage

On disait « vivre comme un grigou » pour « vivre loin de la société de manière vile et sordide ». Un grigou était un homme que son humeur noire et son caractère asocial avaient éloigné de la société.

Grimaudin : vieux c...

Se disait d'un vieil homme aigri et rabougri.

Grimelin : avare

Vient des mots *grimelinage* (le tripot), et *grimeliner* qui signifiait jouer de façon mesquine, en faisant preuve d'avarice.

Gringuenaude : petite crotte

Ce mot sale était employé pour désigner les petits morceaux d'excrément qui restaient accrochés aux fesses d'une personne très sale.

Grisette : fille facile

Fille de moyenne vertu qui se laissait facilement convaincre par le discours de certains garçons. Le terme vient peut-être de « griser », s'enivrer : qui se laissait griser par certains propos galants.

Groin ou **grouin** (selon les régions) : visage, gueule

On disait aussi « lécher le groin » pour « flatter ».

Gros visage : les fesses

Expression dont on se servait pour désigner le postérieur.

Grugeon : parasite

Personne qui vivait des biens des autres, profiteur. Vient du verbe « gruger » signifiant « tricher », « voler ».

Guenillon : fille sale

Vient de « guenilles », lambeau de tissu, vieux vêtement.

Guenippe ou **guenuche** : prostituée

Le terme est issu du mot « guenon ».

Gueusaille : minable, moins que rien

Vient de « gueux », misérable. On disait aussi *gueusard*.

Gueux revêtu : parvenu

Personne de basse condition qui faisait état de ses richesses lorsqu'il avait réussi.

H

Habillé(e) de soie : coquet(te) sale
Personne qui dissimulait sa saleté sous de beaux habits, de belles apparences.

Habitavit : braguette
Ce terme, utilisé dans plusieurs farces du XVIIe siècle, et par Rabelais, est à décomposer en trois mots : « habit à vit »...

Habit d'Arlequin : bâtard
L'expression désignait les enfants nés de la prostitution, en référence aux nombreuses pièces de différentes couleurs qui composaient le costume d'Arlequin.

Se hacher comme chair à pâtée : se battre à l'excès, mettre en pièces.

Haleine cruelle : mauvaise haleine

Happelourde : attrape-nigauds
Désignait à l'origine une pierre fausse ou un faux diamant. Le mot vient de « happer », « prendre » et de « lourd » pour « lourdaud ».

Hardel : vaurien
Un hardel était une corde, le mot désignant par extension tous ceux qui, par leurs actes, méritaient d'être pendus.

Harengère : femme vulgaire qui parle fort

Les harengères étaient des marchandes de rues qui vendaient des harengs. Par extension, on désignait ainsi les femmes qui parlaient fort et dans un langage peu soutenu. On disait aussi *hau-bra* en Lorraine (qui « braie haut », qui crie).

Harpailleur : voleur, escroc

Vient des verbes *harpailler* et *harper* qui signifiaient « se bagarrer », « se saisir violemment avec les mains ». Par extension, le terme désignait le fait d'arracher, de voler quelque chose à quelqu'un.

Holà Ligondé ! : Tais-toi, menteur !

Ligondé était un seigneur très fier de son régiment. Il eut l'insolence de prétendre un jour à la cour que la « maison du roi n'était pas plus belle que son régiment ». Toutes les personnes présentes se récrièrent « Holà Ligondé » pour le faire taire. L'expression fut reprise et se transmit peu à peu : on l'utilisait pour faire taire ou reprendre un menteur, un vantard.

Hoqueleur : querelleur, qui cherche les ennuis

Le mot *hecquelerie*, dérivé du patois messin, signifiait « chicanerie ». Il vient de *hoc*, un petit crochet, un hameçon : *hocqueler* voulait donc dire « accrocher » ou « hameçonner » quelqu'un pour mieux lui chercher querelle.

Hourdebillier : faire l'amour

Ce mot, repris dans le *Roman de la Rose*, vient de l'ancien verbe *hurtebillier* qui désignait autrefois l'accouplement du bélier et de la brebis.

Huiau : cocu

Certains dictionnaires attribuent l'origine de ce mot, issu du patois picard, au fait que les cocus étaient fréquemment « hués » par leurs semblables, d'autres à la comparaison avec la « huette », une sorte d'oiseau nocturne et cornu.

I, J

Il a plu sur sa mercerie : Cette femme a très mal vieilli
Se disait d'une femme qui avait été belle mais que l'âge avait passablement enlaidie. Cette expression fait allusion à l'effet désastreux produit par la pluie sur les étoffes.

Imbriaque : tête en l'air
Au départ, le mot signifiait « ivre » (dérivé du latin *ebriacus*). Il a ensuite servi à désigner un(e) écervelé(e), dont l'attitude et les propos incohérents rappelaient ceux d'une personne saoule.

Insurgés de Romilly : les excréments
En 1848, les « insurgés de Romilly » traversaient chaque matin une forêt pour rejoindre le canal qu'ils creusaient près de Conflans. Ils en profitaient pour satisfaire quelques besoins naturels. Le propriétaire du bois découvrit un jour ces nombreuses traces de leur passage et s'exclama « Dieu ! Que d'insurgés ! ». L'expression fut rapportée et on s'en servit pour désigner les excréments, en souvenir de ces nombreuses marques que les insurgés de Romilly laissaient derrière eux.

Jaboter : parler pour ne rien dire
On disait aussi *faire jabot* ou *avoir un bon jabot* pour « parler trop, à tort et à travers de choses futiles et inutiles ».

Jaboteur : cafeteur
Personne qui, en parlant à tort et à travers, révèle des choses importantes qu'il aurait dû tenir secrètes.

JACQUELINE : prostituée

Vient du terme *jacques* ou *jacquot*, autrefois employé pour désigner le sexe de l'homme.

JACQUEMARD : sexe de l'homme

Au sens propre, le *jacquemard* (ou *jacquemart*) était un personnage armé d'un marteau qui venait frapper les heures sur le timbre d'une horloge. Il a été détourné de ce sens par Rabelais et le peuple parisien.

JARNICOTON ! Juron

On attribue la paternité de ce juron à Henri IV, qui avait l'habitude de manifester sa colère ou son impatience en s'exclamant « Je renie Dieu » (ce qui était très mal vu à l'époque). Le père Coton, son confesseur, lui aurait fait remarquer l'indécence de tels propos dans la bouche d'un souverain et le roi aurait transformé son blasphème en « Je renie Coton », plus politiquement correct. On disait aussi « Jerni-Coton ».

JASPINER : parler trop, médire

Mélange de « japper » et de « jaser » : bavarder, raconter trop de choses.

J'EN DIS DU MIRLIROT : je m'en fiche

Le mirlirot était une espèce d'herbe jaune qui dégageait une odeur forte et poussait dans les champs. Les Parisiens utilisaient cette expression pour signifier qu'ils ne « s'en souciaient point », qu'ils s'en moquaient.

JEAN-FESSE : lâche, trouillard.

Le prénom Jean était autrefois employé dans bien des expressions : un « saint Jean bouche d'or » était ainsi quelqu'un qui ne savait pas garder les secrets et l'on traitait de « Jeannot » les personnes sottes et niaises.

JE TE MANGERAI À LA CROQUE-AU-SEL : je ne ferai de toi qu'une bouchée

« Manger quelque chose à la croque-au-sel » signifiait la manger sans assaisonnement et à peine cuite. On employait l'expression pour s'adresser à quelqu'un à qui l'on souhaitait montrer sa supériorité.

Jeter des perles devant les pourceaux : l'équivalent de l'actuel « donner de la confiture à des cochons ».

Jeter le chat aux jambes : accuser quelqu'un
Taxé de fourberie et de vol, le chat n'avait pas très bonne réputation (il fut, rappelons-le, pendant fort longtemps l'animal des sorcières). « Jeter le chat aux jambes » signifiait « faire du mal, jeter le discrédit sur quelqu'un ».

Jocrisse : idiot, niais
Jocrisse était un personnage de théâtre, une sorte de valet bouffon qui se laissait mener par le bout du nez et s'occupait des tâches les plus basses. Il est vite devenu l'incarnation populaire de la niaiserie et de la maladresse. On disait aussi *Jauquesu*.

Jouer de la saqueboute : faire l'amour
La saqueboute était une lance armée d'un fer crochu dont on se servait pour désarçonner les cavaliers. C'était aussi une sorte de trombone, un instrument de musique dont on devait faire coulisser les tubes pour produire des notes.

Jouer du billon : faire l'amour
Au sens propre, le *bilbotiau*, *bricotiau* ou *billon* était une sorte de grosse massue en bois que l'on s'amusait à lancer le plus près possible d'un but situé neuf mètres plus loin.

Jurer comme un charretier embourbé : dire des gros mots

L

La bécasse est liée : cette fille est casée

Plaisanterie qui évoquait une jeune fille tout juste mariée.

Lâcher les écluses : uriner

Plus exactement, l'expression signifiait « uriner abondamment »... comme l'eau qui arrive lorsqu'on ouvre une écluse. On disait aussi « lâcher une naïade ».

Lâcher une tubéreuse : péter

La tubéreuse était une fleur utilisée en parfumerie. On l'employait de façon ironique dans cette expression pour évoquer des odeurs peu agréables.

La chèvre a pris le loup : tel est pris qui croyait prendre

Se disait des piégeurs qui se faisaient eux-mêmes avoir, alors qu'ils pensaient être les plus forts.

Laisser aller le chat au fromage : souiller sa réputation (pour une fille)

On disait d'une jeune fille qu'« elle avait laissé le chat aller au fromage » lorsqu'elle s'était laissé séduire et déshonorer.

Langard : mauvaise langue

Ce mot, issu d'une poésie de Clément Marot, désignait une personne (trop) bavarde et (trop) médisante, qui ne savait pas tenir sa « langue ».

Lanturlu : va te faire f...
Cette expression parisienne était une façon très vulgaire de signifier « va au diable ». Le lanturlu (ou l'enturlé) était aussi une personne extravagante et écervelée.

Larronneau : escroc de petite envergure
Vient de « larron », petit filou qui exerçait petitement ses méfaits et faisait de petits coups.

Lavasse : dispute, engueulade
On utilisait le mot « lavasse » pour parler d'une pluie très abondante, et par extension d'une réprimande. « Il a reçu une bonne lavasse » signifiait aussi bien « être trempé » que « s'être fait copieusement disputer ».

Lever la crête : frimer
Cette expression, qui fait évidemment référence au coq (animal jugé prétentieux à l'époque), s'employait pour désigner une personne hautaine et orgueilleuse qui venait narguer les autres lorsqu'elle avait de la chance.

Se lever le cul devant : se lever de mauvaise humeur
Se montrer irritable dès le réveil : l'ancêtre de l'actuel « se lever du pied gauche ».

Loche : grosse femme
La loche est un petit poisson très gras ; par extension, on désignait ainsi une femme petite et très en chair.

Lodier ou **lodière :** moins que rien
Le lodier était une espèce de blouse ample portée par les gens de basse condition. Le mot désignait ceux qui portaient cette blouse, les « gueux », les « hommes et les femmes de rien ».

Lofiat : idiot
Désignait une personne simple et crédule.

Longis : paresseux
Long, qui fait traîner les choses en longueur.

Loqueteux : misérable
Littéralement « couvert de loques ».

Lorgneux : mateur
« Lorgner » signifiait « regarder avec curiosité et insistance, être indiscret ».

M, N

MACA : vieille maquerelle
Féminin de maquereau.

MACHURAT : bon à rien, nul
On donnait ce nom injurieux aux mauvais ouvriers à qui il fallait « mâcher le travail ». On disait aussi *machurer* pour « bâcler », « mal travailler ».

MADRÉ : fourbe
Vient du languedocien *mandre* qui désignait le renard, réputé être le plus rusé des animaux.

MAGNEUSE : prostituée
Le mot viendrait d'une allusion (malveillante) à une communauté de religieuses (les Magneuses) aux mœurs supposées dépravées.

MAGNIGOULE : grande gueule
Ce mot est formé du verbe « magnifier » et de *goule*, la « gueule ».

MALENGROING : de mauvaise humeur, râleur
Littéralement « mal en groin ». On disait aussi *engroigné* ou *malengrois*.

MALEPESTE ! : juron qui marquait la surprise ou la colère.

MALITORNE : débile
« Mal tourné » : se disait d'une personne niaise au physique disgracieux.

Malotru : minable
Homme de rien, grossier et mal vêtu.

Malvas : vaurien
Ce mot, dérivé du provençal, mais que l'on retrouve aussi dans le Bordelais, signifiait « homme de rien », « mauvais ».

Mandrin : escroc, malhonnête
Nom d'un célèbre voleur, qui servait par extension à désigner les brigands et les personnes peu scrupuleuses.

Mangeur de blanc : gigolo
Homme peu scrupuleux qui se faisait entretenir par les femmes (par allusion à la couleur de la lingerie féminine).

Maraud(e) : minable, salaud
Injure que l'on adressait à une personne peu scrupuleuse qui avait mal agi. Vient du verbe « marauder » qui désignait au départ une pratique des cochers qui « accrochaient » des clients entre deux courses sans le signaler à leur patron, gardant ainsi pour eux l'argent de ces « extras ».

Margajat : imbécile prétentieux
Se disait de quelqu'un de peu de savoir, qui se rendait ridicule en parlant à tort et à travers et en se donnant des airs importants.

Margoulin : personnage peu scrupuleux, escroc
La margouline était une pièce de tissu que les femmes vendaient en se déplaçant de village en village. Le mot fait référence au bagou de ces vendeuses, prêtes à tout pour écouler leur marchandise.

Marie tracas : commère
Il était fréquent de coller un adjectif aux prénoms les plus courants : une « Marie tracas » ou « Marie bon bec » était une femme qui cherchait les histoires, les tracasseries. Une « Marie chiffon » désignait aussi bien une femme coquette mais à la propreté douteuse qu'une autre qui se mêlait de tout en mettant son nez dans les « chiffons des autres ». On disait aussi « Marie grognon » pour désigner une femme sinistre qui faisait souvent la tête.

Marjolet : trouillard
Le terme désignait au départ un « damoiseau », un homme efféminé et délicat. Il a ensuite été employé par opposition aux guerriers, réputés pour leur courage et leur bravoure.

Marmiteux : sinistre
De « marmite » et « marmiton » : nom méprisant donné aux gens de cuisine et plus généralement aux personnes chargées des plus basses besognes. On disait *marmiteux* pour désigner quelqu'un de mauvaise humeur, de taciturne.

Marmouset : morveux
« Marmot » était le qualificatif donné aux petits garçons prétentieux. Un marmouset était un adulte que l'on méprisait, une personne qui se donnait de l'importance malgré sa bêtise.

Marpaud : peu fréquentable
Terme autrefois employé à Paris pour qualifier les hommes qui fréquentaient des lieux peu recommandables.

Marron : pigeonné
Désignait dans l'imprimerie un ouvrage fait clandestinement. Par extension « être marron » signifiait être la victime, la dupe de quelqu'un.

Marrouffle : vaurien
Terme injurieux dont on qualifiait les « moins que rien », ceux qui étaient tout juste bons à « manier la marre » (un instrument dont on se servait pour piocher).

Marsoin : homme laid
Au sens propre, un poisson, au sens figuré un homme mal fait, avec un visage rébarbatif.

Marteler : faire l'amour
« Frapper d'amour ».

Martiner : se débaucher
Se livrer à la débauche, comme on le faisait à la Saint-Martin (dernier jour avant le début du petit carême de Noël).

Martingalle : fille de mauvaise vie
Ce terme désignait les courtisanes. On ne sait pas s'il vient de *martugalle* (une sorte de danse) ou de la Saint-Martin, jour de fête où l'on se livrait à toutes les débauches.

Mathurin : fou, cinglé
En référence à saint Mathurin invoqué pour guérir les fous.

Mâtin : fourbe
Au sens propre, un chien. Le mot était couramment employé pour désigner un homme rusé qui abusait de la crédulité des autres. On disait aussi *mâtois* (*mâtoise* au féminin) et *mâtoiserie* pour « fourberie ».

Maubec : mauvaise langue
Diminutif de « mauvais bec », qui signifiait « médisant », « calomniateur ».

Mazette : homme faible et lâche, poule mouillée
Dérivé de « mauviette », mauvais, sans intérêt, sans courage.

Mentule : sexe masculin
Mot issu du latin *mentula* qui désignait le sexe de l'homme.

Meretris : prostituée
Le mot vient du verbe *se merer* qui signifiait « se rouler » (ici, dans la débauche).

Mérinos : personne qui a mauvaise haleine
Ce terme, utilisé dans les faubourgs parisiens, est basé sur un jeu de mots. Le mérinos est une race de mouton élevé pour sa laine : il a donc « la laine forte » (l'haleine forte).

Merlusine : femme qui crie beaucoup, gueularde
En allusion aux cris du merle, très stridents.

Mettre dans le margouillis : mettre dans l'embarras
Le *margouillis* désignait aussi bien les ordures que le résidu que l'on trouvait dans les écuelles.

Mettre le cœur sur le carreau : vomir
Avoir tellement mal au cœur que l'on rejette les aliments sur le carreau (par terre).

MICHON : riche
Terme péjoratif qui signifiait avoir suffisamment d'argent pour acheter des miches (gros morceau de pain).

MIRABEAU TONNEAU : gros
Ce surnom avait été donné au frère de Mirabeau qui avait un fort embonpoint, pour le distinguer de son illustre parent.

MIRLIFLORE : prétentieux, égocentrique
De « mirer » : « regarder », « se regarder sans cesse et s'aimer à l'excès ».

MIROIR À PUTAIN : beau gosse
Cette expression injurieuse était employée pour désigner avec mépris un beau garçon, convoité par toutes les femmes... et qui mettait donc leur honneur en danger.

MITOUIN : hypocrite
Le mot vient à la fois de *mitou* (« matou ») et de *mite* (« moitié », par opposition à un caractère entier et une attitude franche). On disait *mitouiner* pour « faire l'hypocrite ».

MONTRER LE DERRIÈRE : ne pas tenir sa parole
Ne pas faire face, tourner les talons, partir : ne pas faire ce à quoi l'on s'était engagé.

MORBLEU : interjection
Le terme « bleu » était utilisé pour éviter de blasphémer en prononçant le nom de « Dieu ».

MORGUENNE ou **MORGUAI** : juron
De « morgue », l'endroit où l'on mettait à l'époque les cadavres saisis par la justice.

MORVAILLON : frimeur, nul
De « morveux », petit enfant trop prétentieux. Par extension, le mot désignait un homme sot et fanfaron.

MOULIN À VENT : les fesses

MOUSCOUILLOUSSE : minable
Terme injurieux donné à quelqu'un que l'on méprisait. La *mouscaille* était l'un des noms donnés par le peuple aux excréments (*mouscailler* signifiant « déféquer »).

Muffle : laid ou stupide
Personne dont le visage tenait plus de la bête que de l'humain. Le mot servait aussi à désigner un imbécile, un *muffleton* étant un jeune imbécile.

Muscadin : frimeur
Personne prétentieuse, trop parfumée (au musc) qui souhaitait attirer l'attention sur elle en en faisant trop.

Naqueter : fayotter
De *naquet*, « laquais » : flatter les personnes haut placées dans le but de s'attirer leurs faveurs.

Ne pas avoir la clé de ses fesses : être trop soumis
Cette expression moqueuse était au départ utilisée à l'encontre des jeunes hommes qui, sous l'emprise de leurs précepteurs, ne jouissaient d'aucune liberté. Par extension, on l'employait aussi pour parler d'une personne trop soumise qui ne « pouvait disposer de ses volontés ».

Ne pas valoir le pet d'un âne mort : être un moins que rien
On se servait de cette expression injurieuse pour qualifier les choses auxquelles on n'accordait pas la moindre importance, mais aussi pour parler de ceux que l'on méprisait.

Niquedouille : nigaud
De « nique » : « faire la nique » signifiait « se moquer ».

Niquenoquer : se conduire sottement
La niquenoque était une chiquenaude que se donnaient les enfants pour jouer.

O, P, Q

Ouvrir sa tabatière : péter

Pacant : gros lourd
Personnage rustre et sans finesse. Le mot servait à l'origine à désigner les paysans.

Paillasse de corps de garde : prostituée
Littéralement, une femme qui a l'habitude de s'allonger dans les casernes pour servir de divertissement aux soldats.

Palsembleu : juron
Ce mot, où « bleu » est employé pour ne pas prononcer le nom de Dieu, signifie « Par le sang de Dieu ». On l'utilisait comme juron ou interjection.

Paltoquet : gros lourd, imbécile
Dérivé de « palot », c'est le sobriquet que l'on donnait aux personnes niaises, grossières et sans instruction (par opposition à « brillant »).

Pampine : prostituée
Pour certains, le mot serait une déformation de « babines » et aurait d'abord servi à désigner une chose dégoûtante, puis une viande de piètre qualité et enfin une fille qui vivait en faisant le commerce de sa chair.

Panier à vesses : les fesses
Une vesse était un pet qui ne faisait pas de bruit : on l'appelait aussi « mort-vent ».

Panoufle : vieille femme
La panoufle était un lambeau de peau que l'on plaçait dans les sabots pour amortir le contact avec le bois. Le mot a servi ensuite à désigner une chose ou une personne vieillie et de peu de valeur, puis simplement une vieille femme.

Pante : pigeon
Le mot serait un raccourci de « pantin » : que l'on manipule et dont on fait ce que l'on veut. Il était très à la mode dans les faubourgs parisiens.

Papelard : hypocrite
De « pape » : faux dévôt. À Paris, on utilisait aussi ce mot pour désigner un imbécile.

Parbleu : juron
Pour éviter de dire « par Dieu ». Variantes : *pardine*, *parbieu.*

Par ma figué (par ma fi) : juron
Cette expression, reprise par Molière dans *Le Médecin malgré lui*, était une façon d'éviter le blasphème en employant le mot « foi ».

Paroissien de saint Pierre aux bœufs : imbécile
L'expression fait référence au saint patron des « grosses bêtes ».

Pasquin : rigolo
Pasquin était le nom d'un personnage comique de théâtre. On utilisait ce mot pour parler d'un mauvais plaisant, une *pasquinade* étant une mauvaise blague.

Passer le pont de Gournay : vivre comme une débauchée
Cette expression viendrait du fait qu'il existait à Gournay-sur-Marne un prieuré de moines : on supposait que les filles qui passaient le pont pour rejoindre ce couvent n'en revenaient pas vierges.

Patte-pelu : hypocrite, manipulateur
Homme qui arrive sournoisement à ses fins, sous des apparences de douceur et d'honnêteté.

PAUANIER : frimer
Se pavaner, faire le beau, « se comporter comme un paon ».

PAUTONIÈRE : prostituée
À l'origine, le pautonier était un valet. Le mot a servi ensuite à désigner les souteneurs de tripots et de lieux de débauche, les « pautonières » étant les filles officiant dans ce genre d'endroit.

PECQUE : mégère
Vieille femme aigrie et mal-aimable. On disait aussi *pie grièche* et *pégrièche*.

PÉNAILLON ou **PÉNARD** : vieux beau
Vieil homme pervers qui s'obstinait à libertiner malgré son âge et peinait à courtiser les filles.

PENDARD : vaurien
Homme qui mérite d'être pendu.

PÉQUIN : sale mec
Mot issu du langage militaire qui servait à désigner quelqu'un de stupide, d'avare et de peu recommandable.

PÉRONNELLE : jeune femme sotte et bavarde

PÉTAUDIÈRE : bazar
De « pet », « cour du roi Pétaud », qui désignait une maison en désordre ou une assemblée qui n'obéissait à aucune règle.

PÉTER COMME UN ROUSSIN : péter fort et souvent
Un roussin d'Arcadie était un baudet, un âne.

PÉTEUX : trouillard
Qui « pète de peur ».

PÉVÉREUX : frimeur
Personnage orgueilleux et fier.

PICOTERIE : plaisanterie
De « piquer », « piquant », pour évoquer la moquerie.

PIERREUSE : prostituée
Nom donné aux femmes qui se prostituaient dans les

endroits où l'on construisait, sur les chantiers, dans lesquels on trouvait donc beaucoup de pierres.

PIEUTRE : homme de basse condition
Déformation de « piètre », pour désigner une basse condition ou une mauvaise qualité.

PIMPERNELLE : femme frivole
Le pimpernel était un petit poisson très agile et remuant. Une pimpernelle était donc une « tête folle », une femme futile et inconstante.

PINOCHER : mal faire l'amour
Manquer de vigueur et d'endurance. Le mot « pine » désignait autrefois le sexe d'un petit garçon ou d'un homme très mal pourvu.

PITAUD : paysan (péjoratif)
Déformation de pataud, lourd, rustre, paysan.

PLÂTRE CHAUD : incapable
Surnom injurieux que l'on donnait à l'origine aux mauvais ouvriers en maçonnerie, puis par extension à tous les mauvais éléments.

PLOYER LE TOURET : uriner (uniquement pour les femmes)
Le touret était une espèce de petit coussin que les femmes s'accrochaient en haut des fesses, de manière à montrer une taille plus cambrée. Elles devaient donc incliner ou courber le touret pour satisfaire leurs besoins naturels.

POCHARD : ivrogne
Individu dont la tenue et l'aspect pitoyable révèlent qu'il s'adonne à la boisson. Dérivé de poche (sac), littéralement « rempli comme une poche », « sac à vin ».

POILOUX : moins que rien
Homme de basse condition qui se conduit mal.

POISSARD(E) : vulgaire
Ce terme très répandu était employé pour désigner les gens du peuple qui parlaient fort, dans un langage peu soutenu et affichaient de mauvaises manières.

Poisson d'avril : travesti

Surnom injurieux que l'on donnait aux hommes qui se prostituaient en allusion aux blagues et aux (mauvaises) surprises que l'on se faisait le 1er avril.

Poistron : les fesses

Le poistron était une sorte de grosse prune jaune dont les formes rebondies ont donné lieu à une autre interprétation.

Polacre : minable

Le mot vient de « pol », qui désignait une mare, et par extension tout « ce qui venait de la tourbe » au sens propre comme au sens figuré. Le mot servait, par exemple, à exprimer l'idée de corruption.

Ponant : les fesses

Poner signifiait « uriner » en vieux français, le *poneau* désignant la chaise percée.

Porter le deuil de sa blanchisseuse : être très sale

Être négligé, mettre des vêtements sales qui n'ont pas été portés à la blanchisserie depuis très longtemps.

Porter les hauts-de-chausses : porter la culotte

Se disait d'une maîtresse femme qui s'octroyait des droits censés n'appartenir qu'à son mari.

Poser une sentinelle : déféquer

Cette expression tirée du langage militaire évoque l'image des sentinelles que l'on posait en faction et qui restaient plantées à l'endroit où on les avait laissées.

Pouacre : sale, crasseux

Vient de « pou » (qui entrait déjà dans de nombreuses locutions encore utilisées aujourd'hui telles que « laid comme un pou » ou « chercher des poux ») et de l'expression « se laisser manger aux poux » qui signifiait « être sale et ne pas s'en soucier ».

Poule laitée : l'ancêtre de notre « poule mouillée »

Poupée à ressorts : prostituée

Pourceaugnac : grotesque

Le mot est tiré d'une comédie de Molière, *Monsieur de Pourceaugnac*, racontant les aventures d'un gentilhomme limousin, ridicule dans sa façon d'agir et de s'habiller. On disait « C'est un Pourceaugnac » en parlant d'une personne que son comportement absurde et ses vêtements extravagants rendaient comique malgré elle.

Pousser la lippe : faire la tête

On utilisait « lippe » pour « lèvres ». L'expression signifiait « faire la moue, allonger la mine, être de mauvaise humeur, bouder ».

Se prendre aux crins : se bagarrer

Le mot « crin » s'appliquait aussi aux cheveux. « Se prendre aux crins » signifiait littéralement « s'attraper par les cheveux » comme cela peut arriver lors d'une bagarre. On disait aussi « prendre quelqu'un par la crinière » pour « se battre avec lui ».

Preneur de taupes : radin

Avare qui, pour trouver des trésors, fouillait la terre comme les « taupes ».

Privaises : les toilettes

Autre façon de désigner ce que l'on appelait aussi « les privés ». Contraction de « privés » et de *s'aisier* qui signifiait « uriner ».

Pucelle de Marolles : prostituée

Le village de Marolles (dans le Nord) semblait posséder plusieurs lieux de débauche.

Pufine : excréments

Déformation de « plus fine » qui était une façon discrète de parler de sa matière fécale.

Putenier : débauché

En ancien français, le mot *putel* désignait un bourbier, une mare. Il a donné naissance à de nombreux dérivés tels que *put* (« sale », « infect »), *puterelle* ou *putraine* (« prostituée »), *puteur* (« puanteur »), *putie* (« ordure », « fumier »,

« mauvaise action »), *putée* (« débauche »), *puterie* (« lieu de débauche » ou « conduite dépravée »), etc.

QUE LE MAULUBEC VOUS TROUSSE ! Malheur à vous !
Expression employée par Rabelais mais originaire du Languedoc, qui signifiait « Que vous soyez rongé par le mau loubet », littéralement le « mal du loup aux jambes », réputé incurable et douloureux. Certains dictionnaires donnent une autre signification de *malubec* : les uns le traduisent par « mal du bec » (infection de la bouche que l'on craignait de voir toucher le cerveau), d'autres par « mal du loup » (faim de loup).

R

Raboter : bâcler
De *rabot* : « fait à la hâte, grossièrement ».

Raccrocheuse : prostituée
Racoleuse qui cherche à « accrocher » le client.

Raisonner comme une pantoufle : être stupide
On disait aussi « bête comme ma pantoufle ».

Raquedenare ou **racledenare** : radin
Littéralement « râle-deniers », « grippe-sou ».

Renarder : vomir
Rabelais disait « écorcher le renard ».

Rendre les miettes : vomir

Repousser du tiroir ou **du corridor** : avoir mauvaise haleine
Expression issue des faubourgs parisiens.

Représenter les armes de Bourges : être idiot
Comme son nom l'indique, l'expression fait référence aux armes de la ville de Bourges qui représentaient un âne assis dans un fauteuil.

Se retirer à la Mazarine : décamper, fuir précipitamment
Cette expression fait référence à la fuite précipitée de Mazarin au cours des troubles qui intervinrent lors de la minorité de Louis XIV.

Retourner à ses vomissements : commettre à nouveau la même erreur.

Revoir la carte : vomir

Dans le langage populaire, « rendre son déjeuner » (ou son dîner) comme pour « vérifier la carte du restaurant où l'on vient de manger ».

Ribaud(e) : débauché(e)

Pour certains, Rigaud était un sonneur de la ville de Rouen qui était connu pour son penchant pour la boisson et dont *ribaud* serait un dérivé. Pour d'autres, le mot vient du nom donné aux gardes particuliers de Philippe-Auguste que l'on nommait les « ribauldz ». Le terme désignait un homme aux « mauvaises mœurs ».

Ribleur : vaurien, débauché

Vient du verbe *ribler* qui signifiait « courir les rues la nuit ».

Rigobette : prostituée

Le mot est issu du verbe *rigober* qui signifiait « faire la fête », « se divertir », « fréquenter les lieux de débauche ».

Rincée : dispute, engueulade

On disait à l'origine de quelqu'un qui avait été trempé par une grosse pluie qu'il était rincé. Par extension, cette expression désignait quelqu'un qui s'était fait copieusement disputer.

Riocher : ricaner bêtement

Déformation de *rioter*, « rire niaisement ». On disait aussi un *rioteur* et une *rioteuse*.

Rodomont : vantard, mythomane

Certains dictionnaires attribuent l'origine du mot à une expression latine *rodere montem* (« ronger une montagne »), prouesse irréalisable dont seuls peuvent se vanter les affabulateurs. « Rodomontade » désignait des propos fanfarons, une attitude prétentieuse et ridicule, ou le fait de se vanter d'un morceau de bravoure que l'on n'avait pas accompli.

Rompre en visière : se chamailler
Se quereller avec quelqu'un pour une broutille. « Rompre » signifiait autrefois « arrêter ». « Rompre de visière » voulait dire « se disputer en s'arrêtant aux apparences, sans voir plus loin que le bout de sa visière ».

Rond : les fesses
Partie la plus dodue d'un individu, le « rond » était le mot employé pour parler du derrière.

Rondiner : frapper
Battre quelqu'un avec un rondin, un morceau de bois.

Rosse : minable
Une rosse était à l'origine un mauvais cheval.

Roué(e) : fourbe, vicieux
À l'origine, quelqu'un qui avait subi le supplice de la « roue ». Par extension, on employait ce mot pour parler d'une personne dont le comportement aurait mérité un tel traitement.

Roussin d'Arcadie : âne
Le roussin d'Arcadie était une race de baudet. Le terme était employé pour désigner une personne un peu bête.

Roussiner : péter
Allusion au fait que les ânes (les roussins) ne se retenaient pas lorsque le besoin s'en faisait sentir...

Rudanier : personne qui a mauvais caractère
Contraction de « rude ânier », personnage à l'abord revêche, au caractère fermé.

Ruffieu : vieux dévergondé
S'appliquait aux libertins que leur grand âge n'avait pu calmer.

S

Sabrenas : sagouin

Ce mot, issu du vocabulaire des cordonniers et des savetiers, désignait un mauvais ouvrier qui bâclait son ouvrage et ne connaissait pas son travail. Il était utilisé par extension pour désigner tous ceux qui travaillaient malproprement. On disait aussi *sabrenauder* ou *sabrenasser* pour « bâcler », « rendre un mauvais travail ».

Sacard : voleur

Les sacards étaient les personnes chargées d'enterrer les cadavres de ceux qui étaient morts de la peste. Pour éviter la contagion, ils se revêtaient d'un sac. Cette activité a peu à peu dégénéré, les sacards profitant du fait qu'ils venaient relever les corps pour dérober dans les maisons des malades tout ce qui leur passait sous la main.

Sacrebleu : juron

« Sacré » était employé dans beaucoup d'expressions pour renforcer la portée d'un mot et exprimer son mépris : « sacré vilain », par exemple. « Bleu » était employé à la place de « Dieu » pour éviter le blasphème. On trouve de nombreux dérivés de cette interjection comme, par exemple, *Sacredié* ou *Sacrelote*.

Salaude : traînée

Ancien féminin de « salaud » (mot issu de « sale ») qui servait à désigner une femme sans foi ni loi, sans honneur et peu vertueuse.

Salisson : souillon
Fille ou femme à la propreté douteuse.

Sallebreneau : sale, dégoûtant
Sale breneux (voir *bren*).

Sapajou : vieil escroc
Le sapajou est un petit singe dont les poils noirs et blancs rappelaient la chevelure grisonnante des vieux messieurs. Le mot était aussi utilisé pour désigner les vieux libertins.

Sapristi ! juron
Manière de ne pas blasphémer en prononçant le juron originel « Sacristi » (de « Christ ») que l'on écourtait d'ailleurs souvent en « Christi ».

Sentir du gousset : sentir mauvais des aisselles
Le *gousset* était un mot de l'argot parisien qui désignait les aisselles.

Sentir la fièvre : dire des bêtises, raconter n'importe quoi
L'expression vient d'une réplique du *Barbier de Séville* : « Va te coucher Basile, tu sens la fièvre. » Elle signifiait « tu as tellement de fièvre que tu tiens des propos incohérents », « la fièvre t'est montée à la tête, tu dis n'importe quoi ».

Sentir l'épaule de mouton : sentir mauvais
Puer, dégager une odeur extrêmement forte.

Serinette : maître chanteur
Homme qui fait « chanter » les autres. Un « serin » ne désignait d'ailleurs pas seulement un oiseau mais aussi un idiot que l'on pouvait facilement tromper.

Sentir le pied de messager : puer
Allusion au fait que les messagers marchaient beaucoup.

Servante à Pilate : intrigante
En référence à Ponce Pilate qui trahit Jésus : femme prête à tout pour parvenir à ses fins.

Signe d'argent : excrément
Allusion au fait qu'il suffit de marcher dedans pour que cela porte bonheur (et fortune).

Sortir de dessous la cloche : être niais

Se disait des personnes stupides qui affichaient un air hébété, comme si elles avaient été abruties par le vacarme que fait une cloche lorsqu'on la sonne.

Sot comme un panier : stupide

L'expression vient de « panier percé » qui désignait, à l'époque, une personne qui n'avait pas de mémoire, qui, comme un panier percé, ne pouvait rien retenir de ce qu'on lui disait.

Soudrille : moins que rien

Surnom péjoratif donné aux mauvais soldats, sans honneur et libertins, puis par extension à toute personne de peu de valeur. On disait aussi *soudrillard*.

Soupir de Bacchus : rot

L'image est sûrement due aux effets secondaires que produit un excès de boisson.

Sucre ! Merde !

Mot autrefois employé par la bourgeoisie qui répugnait à se servir du mot de Cambronne, trop populaire.

Sucrée : bégueule, chochotte

Le mot s'employait pour parler d'une femme qui se choquait des propos et des actes les plus innocents comme s'ils étaient indécents. On disait aussi « faire sa sucrée ».

T, U

TAILLE-LARD : moins que rien

L'expression « taille-lard » était une façon péjorative de parler des paysans, des rustres qui se nourrissaient principalement de fèves et de lard. On disait aussi « taille-bacon ».

TAILLER DES CROUPIÈRES : faire ses coups en douce

La croupière était le morceau de harnais qui passait sous la croupe des chevaux. L'expression concernait, à l'origine, les cavaliers qui en poursuivaient d'autres d'assez près pour couper leur croupière d'un coup d'épée. Si l'expression est aujourd'hui encore parfois employée pour dire « chercher des ennuis », elle signifiait à l'époque « agir contre quelqu'un derrière son dos ».

TAPIN : fourbe, hypocrite

Le mot vient de « tapi » (caché). Une *tapie*, un *tapinage* ou une *tapinaudière* désignaient des endroits où l'on se cachait. *En tapinois* ou *en tapisson* signifiait « en secret », « en cachette ». Un *tapin* était une personne qui ne dévoilait pas ses intentions et manœuvrait en cachette.

TAPIS DE PIED : fayot, lèche-bottes

Cette expression moqueuse désignait les courtisans, prêts à « essuyer » sans broncher toutes les humiliations pour s'attirer les faveurs de leur cible.

TARTE BOUBONNAISE : excréments

L'expression est issue de *Pantagruel* de Rabelais.

Taudion : bordel
De « taudis », maison insalubre, mais aussi lieu de débauche et de prostitution.

Tencheresse : mégère
Ce nom vient de *tenchon*, « tension », qui désignait une dispute ou une contestation : une *tencheresse* était donc une femme querelleuse et mauvaise.

Tête à perruque : borné, têtu
En référence aux têtes en bois utilisées par les perruquiers pour ajuster les perruques : esprit grossier et obtus, « tête de bois ».

Se tignogner : se battre, se disputer
Le *tignon* désignait les cheveux plantés à l'arrière du crâne, utilisés pour former le chignon. *Se tignogner* signifiait donc « s'empoigner par les cheveux » lorsqu'on en venait aux mains lors d'une querelle.

Tinette : bouche malodorante
La tinette était une hotte en bois dont se servaient les vidangeurs pour monter le contenu d'une fosse nauséabonde.

Tire-liard : radin
Le liard était une petite pièce de peu de valeur. On disait aussi *liarder* pour « se montrer radin ».

Tirez vos grégues ! : allez-vous-en !
Grègues était employé pour désigner les hauts-de-chausse. On disait aussi « tirez vos chausses » lorsqu'on souhaitait chasser quelqu'un.

Tison d'enfer : mauvaise langue
Celui qui « attise » les tensions par ses médisances.

Torfesor : ennemi, malfaiteur
Le mot peut se traduire par « celui qui fait du tort » (« tort faiseur »).

Tortillette : allumeuse

Femme qui se déhanche exagérément lorsqu'elle danse ou qui marche en « tortillant de la crinoline », comme on disait à l'époque, pour attirer le regard des hommes.

Toupie : prostituée

En référence au jouet des enfants : femme qui a mal « tourné ».

Tourmenter comme un lavement : prendre la tête

On utilisait cette expression (assez imagée pour parler d'elle-même) pour qualifier quelqu'un qui en harcelait un autre sans répit jusqu'à obtenir ce qu'il souhaitait. Le mot « tourmente » était aussi employé à Paris pour désigner la diarrhée.

Tourner la médaille : retourner sa veste

Changer brusquement de discours : retourner la médaille pour en montrer la face opposée.

Triboulet : personne grotesque, ridicule

En souvenir de Nicolas Ferrial ou Le Févrial, *alias* Triboulet, qui fut le bouffon de la cour sous les règnes de Louis XII et François Ier.

Trifouillon : fouineur

Indiscret qui trifouille et met le désordre.

Trinquamelle : fanfaron, frimeur

Ce mot est issu du patois toulousain, *trinque* signifiant « qui tranche », et d'*amelle*, « amande ». Un *trinquamelle* était donc une personne qui se vantait de pas grand-chose. On disait aussi « fendeur de naseaux ».

Triquebalarideau : niais, idiot

Diseur de *trinquenicques* (le mot désignait des babioles, des objets sans valeur, et par extension des paroles sans queue ni tête). Le mot a été repris par Rabelais.

Trop-diteux : bavard

Personne qui « en dit trop »

Trottin : minable

Désignait autrefois un laquais que l'on n'employait que pour effectuer de petites courses et un mauvais cheval qui ne savait aller qu'au petit trot.

Troussequin : les fesses

Le mot désignait à la base la partie cintrée qui se trouvait à l'arrière d'une selle. L'image a servi ensuite à évoquer le postérieur.

Trucheur : bon à rien

Trucher désignait le fait de mendier par fainéantise pour obtenir de quoi manger sans travailler.

Tubleu : interjection

« Bleu » était utilisé pour remplacer Dieu dont on ne prononçait pas le nom par crainte du blasphème.

Tu l'auras dans le ciel ! : Tu peux toujours rêver !

Cette expression était utilisée comme fin de non-recevoir pour dire à quelqu'un que l'on satisferait peut-être à sa demande dans une autre vie lorsqu'il serait mort et « monté au ciel ».

Tu me scies le dos avec une latte : Tu m'emm...

Une latte était une sorte de grosse épée que l'on retrouvait à l'époque dans quelques expressions telles que « gras comme une latte » et « tu me scies le dos avec une latte » que l'on pourrait traduire poliment par « tes propos m'ennuient fortement, tu m'exaspères ».

Turlupin : mauvais blagueur

Une *turlupinade* était une plaisanterie de mauvais goût. *Turlupiner* était employé pour « railler quelqu'un », « importuner ».

Ut ! Va-t'en, va te faire voir

L'ancêtre de « zut ». Le mot est extrait d'une tirade de pièce comique : « Sais-tu la musique ? Eh bien, Ut ! ». Il était employé pour envoyer promener quelqu'un dont on souhaitait se défaire.

V, W, Z

VA-CUL-NU : synonyme du toujours actuel « va-nu-pied »

VA-T'EN AU MAIL : va te faire voir

Le mail était une sorte de marché parisien où l'on vendait des pommes. L'expression, grossière à l'époque, était utilisée comme fin de non-recevoir ou pour se débarrasser d'un importun.

VA-T'EN FILER À TA QUENOUILLE : occupe-toi de tes affaires

L'expression était au départ destinée aux femmes qui « voulaient se mêler des choses qui regardaient les hommes ».

VERTUBLEU : interjection qui marque la surprise ou l'impatience

On utilisait « bleu » pour Dieu, ce qui évitait de blasphémer. Le mot signifie « par la vertu de Dieu ».

VESSARD : trouillard

Vesser signifiait « péter » ; une *vesse* était un gaz qui ne faisait pas de bruit, la *vesnière* désignant l'anus et le *vesneur* celui qui « avait l'habitude de *vesser* ». Un *vessard* était quelqu'un qui « *vessait* de peur ».

VESSER DU BEC : avoir mauvaise haleine

Dans le langage populaire, on se servait souvent de « bec » pour désigner la bouche.

VIÉDASE : inculte, bon à rien

Viédaser signifiait « ne rien faire de bon, de valable ». Le mot désignait à l'origine une figure d'âne (*ase*).

Vieille médaille : vieille femme
Se disait d'une femme défraîchie mais prétentieuse, qui, comme une vieille médaille, avait perdu de son lustre, de sa valeur et de son attrait.

Vieille sempiternelle : vieille radoteuse
Cette expression très injurieuse, issue de « sempiternel », était employée pour parler d'une femme âgée qui racontait toujours les mêmes choses.

Vieille Sibylle : vieille pédante
L'expression était employée pour désigner une femme âgée et prétentieuse qui pensait avoir de l'esprit.

Vilain botté : prétentieux qui veut paraître supérieur à sa condition
L'expression désignait les roturiers qui voulaient jouer les nobles ou les bourgeois, le port des bottes étant réservé aux nobles qui partaient à la guerre.

Villener : malmener, brutaliser
Le verbe vient de « vilain » (paysan, rustre) et signifie « traiter comme un moins que rien ».

Visage de réprouvé : sale tête
Se disait d'une figure patibulaire, de quelqu'un de sinistre à l'air mauvais.

Volaille : prostituée
Ce mot est une autre façon de désigner la poule : le poulet était le nom donné en Italie aux billets que se faisaient passer les amoureux en utilisant ces volatiles comme messagers pour plus de discrétion. Le nom a ensuite désigné les commerces amoureux en général, puis les filles qui vivaient de ces commerces.

Vouloir apprendre à son père à faire des enfants : avoir la prétention de tout savoir
Se disait de ceux qui croyaient tout connaître au point de donner des leçons aux personnes pourtant plus expérimentées.

Vouloir vendre le son après avoir donné la farine : être une vieille coquette

On disait d'une femme qui commençait à vieillir mais continuait à croire ses charmes intacts et à minauder auprès des hommes, qu'« après avoir donné la farine, elle voulait vendre le son » : cette moquerie était une façon de dire que le meilleur était derrière elle mais qu'elle comptait bien profiter de ses « restes » (le son étant le résidu de la mouture des grains utilisés pour fabriquer la farine).

Vrou : diarrhée

En Normandie, le vrou était une sorte de jet d'eau qui jaillissait du sable ou du détour d'un rocher en bouillonnant. C'était aussi le nom imagé que l'on donnait à la diarrhée.

Wagon : femme de mauvaise vie

On disait aussi une « femme de troisième classe » et on désignait par « wagon de première » les filles réservées aux hommes les plus riches.

Zèdre : tordu, fourbe

Zèdre est la déformation populaire de la lettre « Z ». « Être comme un zèdre » signifiait « être tordu » (par opposition à « droit »), en référence aux formes zigzagantes de la lettre.

Bibliographie

DELVAU, Alfred, *Dictionnaire de la langue verte,* Paris, E. Dentu, 1867.

GODEFROY, Frédéric, *Dictionnaire de l'ancienne langue française et de tous ses dialectes du IXe au XVe siècle*, Paris, F. Vieweg, 1881-1902.

GODEFROY, Frédéric, *Lexique de l'ancien français*, Paris, H. Welter, 1901.

HAUTEL (D'), Charles-Louis, *Dictionnaire du bas langage ou des manières de parler usitées parmi le peuple*, tomes 1 et 2, Paris, D'Hautel et Schœll, 1808.

HÉCART, G. A. J., *Dictionnaire rouchi-français*, Valenciennes, Lemaître, 1834.

LE ROUX, Philibert-Joseph, *Dictionnaire comique, satyrique, critique, burlesque, libre et proverbial*, tomes 1 et 2, 1786.

MÉNAGE, Gilles, *Dictionnaire étymologique de la langue françoise*, tome 2, Paris, Briasson, 1750.

MÉRY (De), M. C., *Histoire générale des proverbes*, tome 3, Paris, Delongchamps, 1828-1829.

RABELAIS, François, *Œuvres*, éditions Variorum, 1883.

ROQUEFORT (De), J. B. B., *Glossaire de la langue romane*, Paris, B. Warée, 1808.

Achevé d'imprimer en Italie par Grafica Veneta
en novembre 2018
Dépôt légal avril 2013
EAN 9782290054390
OTP L21ELLN000448A010

—

Ce texte est composé en Akkurat

—

Conception des principes de mise en page :
mecano, Laurent Batard

—

Composition : PCA

—

ÉDITIONS J'AI LU
87, quai Panhard-et-Levassor, 75013 Paris
Diffusion France et étranger : Flammarion

1028